D0785203

1351
PAROLE
INGLESI
per PICCOLI e GRANDI

DAMI EDITORE

Testi di LeeAnn Bartolussi
Illustrazioni di Giuseppe Donghi
colorate da Viviana Angiolini
Grafica di copertina: Romina Ferrari

www.giunti.it

© 2003 Giunti Editore S.p.A.
Via Bolognese, 165 - 50139 Firenze - Italia
Via Dante, 4 - 20121 Milano - Italia

Ristampa	Anno
8 7 6 5 4 3	2010 2009 2008 2007 2006

Stampato presso Giunti Industrie Grafiche S.p.A. – Stabilimento di Prato

Ricordare con gli occhi

Sapete come faceva il grande Cicerone a ricordare le sue arringhe ai senatori romani? E come riusciva l'oratore greco Demostene a non perdere mai il filo del discorso? A quell'epoca, i ragazzi andavano a scuola di retorica dove si insegnava che il metodo migliore per ricordare un concetto astratto è abbinarlo a qualcosa di concreto. La memoria visiva serve a tante cose...

Oggi, anche a imparare l'inglese!

Provate a guardare queste vignette.

Impossibile dimenticare come si dice CONTARE e CODA...

E chi impara così, non dimentica più!

A

A / AN
(é/èn)

UN / UNO / UNA

ABOVE
(ebàv)

SOPRA

ABSENT
(èbsent)

ASSENTE

ACCIDENT
(èksident)

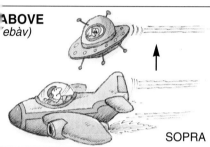

INCIDENTE

ACROSS
(ekròs)

ATTRAVERSO

ADD (TO)
(tu èd)

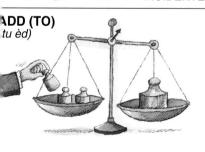

AGGIUNGERE

ADDRESS
(edrès)

INDIRIZZO

7

ADULT
(èdalt)

ADULTO

ADVANTAGE
(èdvantidg)

VANTAGGIO

ADVENTURE
(edvènciar)

AVVENTURA

AFRAID (TO BE)
(tu bi efréid)

PAURA (AVERE)

AFTER
(àfter)

DOPO

AGAINST
(eghénst)

CONTRO

AGE
(éidg)

ETÀ

AIR
(èar)

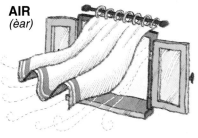

ARIA

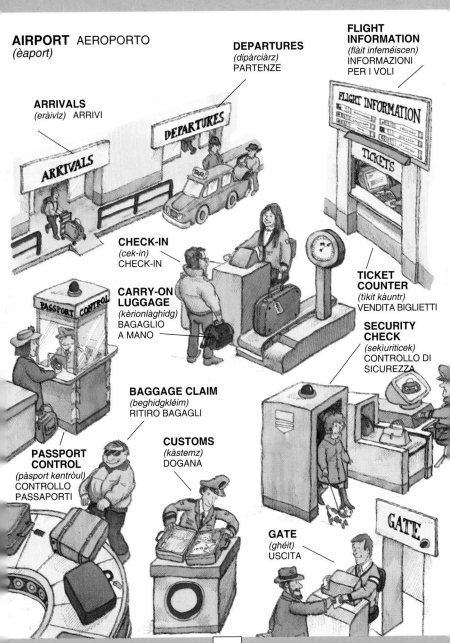

AIRPORT AEROPORTO
(èaport)

ARRIVALS
(eràivlz) ARRIVI

DEPARTURES
(dipàrciàrz)
PARTENZE

FLIGHT INFORMATION
(flàit infeméiscen)
INFORMAZIONI PER I VOLI

FLIGHT INFORMATION

TICKETS

CHECK-IN
(cek-in)
CHECK-IN

CARRY-ON LUGGAGE
(kèrionlàghidg)
BAGAGLIO A MANO

TICKET COUNTER
(tìkit kàuntr)
VENDITA BIGLIETTI

SECURITY CHECK
(sekìuriticek)
CONTROLLO DI SICUREZZA

PASSPORT CONTROL

BAGGAGE CLAIM
(beghidgkléim)
RITIRO BAGAGLI

CUSTOMS
(kàstemz)
DOGANA

PASSPORT CONTROL
(pàsport kentròul)
CONTROLLO PASSAPORTI

GATE
(ghéit)
USCITA

GATE

AIRPORT AEROPORTO
(èaport)

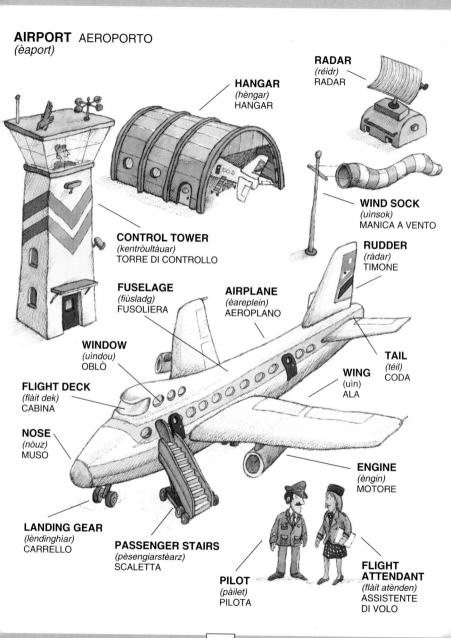

HANGAR
(hèngar)
HANGAR

RADAR
(réidr)
RADAR

WIND SOCK
(uìnsok)
MANICA A VENTO

CONTROL TOWER
(kentròultàuar)
TORRE DI CONTROLLO

RUDDER
(ràdar)
TIMONE

FUSELAGE
(fiùsladg)
FUSOLIERA

AIRPLANE
(èareplein)
AEROPLANO

WINDOW
(uìndou)
OBLÒ

TAIL
(téil)
CODA

WING
(uìn)
ALA

FLIGHT DECK
(flàit dek)
CABINA

NOSE
(nòuz)
MUSO

ENGINE
(èngin)
MOTORE

LANDING GEAR
(lèndinghìar)
CARRELLO

PASSENGER STAIRS
(pèsengiarstèarz)
SCALETTA

PILOT
(pàilet)
PILOTA

FLIGHT ATTENDANT
(flàit atènden)
ASSISTENTE DI VOLO

10

ALARM CLOCK
(elàrm klok)

SVEGLIA

ALIVE
(elàiv)

VIVO

ALL
(ol)

TUTTO

ALONE
(eloùn)

SOLO

ALSO
(òlsou)

ANCHE

ALWAYS
(òlueiz)

SEMPRE

AND
(ènd)

E

ANGRY
(èngri)

ARRABBIATO

ANIMALS ANIMALI
(ènimls)

BIRD
(berd)
UCCELLO

CAT
(kèt)
GATTO

BEAR
(bèar)
ORSO

HEN
(hén)
GALLINA

CHICKENS
(cikenz)
POLLI

ROOSTER
(rùstar)
GALLO

COW
(kàu)
MUCCA

DOG
(dog)
CANE

MONKEY
(mànki)
SCIMMIA

GORILLA
(gorìla)
GORILLA

PIG
(pig)
MAIALE

OWL
(àul)
GUFO

TIGER
(tàigar)
TIGRE

ZEBRA
(zìbra)
ZEBRA

DONKEY
(dònki)
ASINO

ELEPHANT
(élifant)
ELEFANTE

SHEEP
(sciip)
PECORA

RABBIT
(rèbit)
CONIGLIO

KANGAROO
(kengherù)
CANGURO

LION
(làien)
LEONE

WHALE
(uéil)
BALENA

HORSE
(hors)
CAVALLO

FROG
(frog)
RANA

13

ANSWER
(ànsar)

RISPOSTA

ARMCHAIR
(àrmcear)

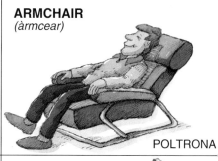

POLTRONA

ARROW
(èrou)

FRECCIA

ASK (TO)
(tu ask)

CHIEDERE

ASLEEP
(eslìip)

ADDORMENTATO

ASTRONAUT
(èstronot)

ASTRONAUTA

AT
(et)

A

AWAKE
(euéik)

SVEGLIC

14

B

BAD
(bèd)

CATTIVO

BAG
(bèg)

BORSA

BAKERY
(béikeri)

PANETTERIA

BALL
(bol)

PALLA

BALLOON
(belùun)

PALLONCINO

BANK
(bènk)

BANCA

BARE
(bèar)

NUDO

BARN
(barn)

FIENILE

BASKET
(bàskit)

CESTO

BATH (TO TAKE A)
(tu téik ebàth)

BAGNO (FARE IL)

BE (TO)
(tu bi)

ESSERE

BEACH
(biitch)

SPIAGGIA

BEARD
(bìed)

BARBA

BEAUTIFUL *(biùtiful)*

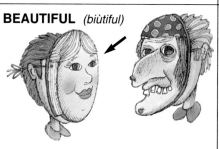

BELLO

BECOME (TO)
(tu bikàm)

DIVENTARE

BED
(béd)

LETTO

BEE
(bii)

APE

BEFORE
(bifòr)

PRIMA

BEHIND
(bihàind)

DIETRO

BELL
(bel)

CAMPANELLO

BELOW
(bilòu)

SOTTO

BESIDE
(bisàid)

ACCANTO

BETWEEN *(bituiìn)*

TRA

BICYCLE BICICLETTA
(bàisikl)

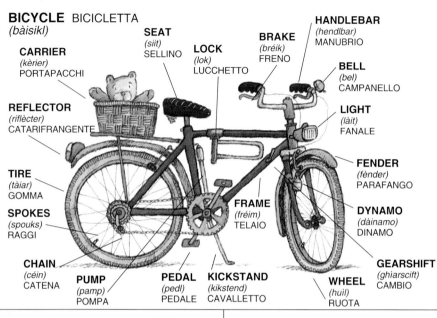

CARRIER
(kèrier)
PORTAPACCHI

SEAT
(siit)
SELLINO

LOCK
(lok)
LUCCHETTO

BRAKE
(bréik)
FRENO

HANDLEBAR
(hendlbar)
MANUBRIO

BELL
(bel)
CAMPANELLO

REFLECTOR
(riflècter)
CATARIFRANGENTE

LIGHT
(làit)
FANALE

TIRE
(tàiar)
GOMMA

FENDER
(fènder)
PARAFANGO

SPOKES
(spouks)
RAGGI

FRAME
(fréim)
TELAIO

DYNAMO
(dàinamo)
DINAMO

CHAIN
(céin)
CATENA

PUMP
(pamp)
POMPA

PEDAL
(pedl)
PEDALE

KICKSTAND
(kikstend)
CAVALLETTO

WHEEL
(huìl)
RUOTA

GEARSHIFT
(ghìarscift)
CAMBIO

BIG
(big)

GRANDE

BIRTHDAY
(bérthdéi)

COMPLEANNO

BLACKBOARD
(blèkbord)

LAVAGNA

BLANKET
(blènkit)

COPERTA

BLOCK
(blok)

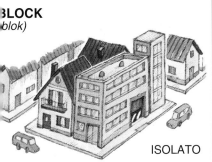

ISOLATO

BLOND
(blond)

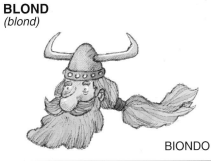

BIONDO

BLOOD
(blad)

SANGUE

BLUSH (TO)
(tu blash)

ARROSSIRE

BOAT BARCA
(bòut)

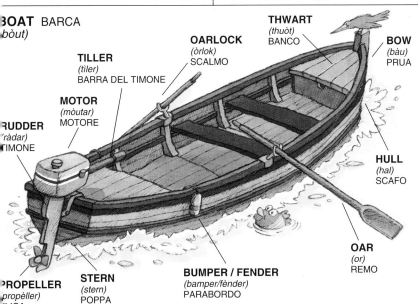

THWART
(thuòt)
BANCO

OARLOCK
(òrlok)
SCALMO

TILLER
(tìler)
BARRA DEL TIMONE

BOW
(bàu)
PRUA

MOTOR
(mòutar)
MOTORE

RUDDER
(ràdar)
TIMONE

HULL
(hal)
SCAFO

OAR
(or)
REMO

PROPELLER
(propèller)
ELICA

STERN
(stern)
POPPA

BUMPER / FENDER
(bamper/fènder)
PARABORDO

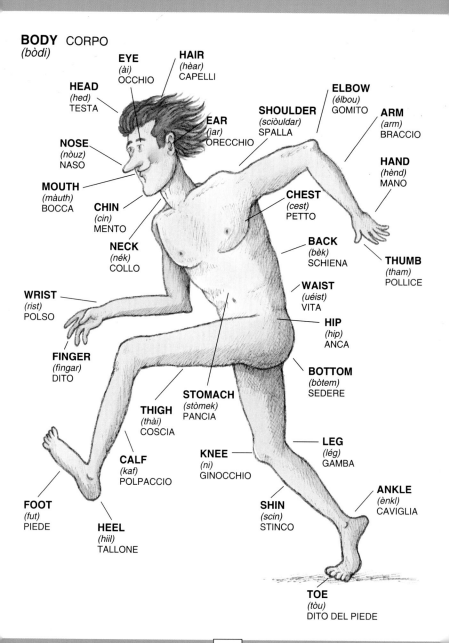

BODY CORPO
(bòdi)

EYE
(ài)
OCCHIO

HAIR
(hèar)
CAPELLI

HEAD
(hed)
TESTA

EAR
(ìar)
ORECCHIO

SHOULDER
(sciòuldar)
SPALLA

ELBOW
(élbou)
GOMITO

ARM
(arm)
BRACCIO

NOSE
(nòuz)
NASO

HAND
(hènd)
MANO

MOUTH
(màuth)
BOCCA

CHIN
(cin)
MENTO

CHEST
(cest)
PETTO

NECK
(nék)
COLLO

BACK
(bèk)
SCHIENA

THUMB
(tham)
POLLICE

WRIST
(rist)
POLSO

WAIST
(uéist)
VITA

HIP
(hip)
ANCA

FINGER
(fingar)
DITO

BOTTOM
(bòtem)
SEDERE

STOMACH
(stòmek)
PANCIA

THIGH
(thài)
COSCIA

CALF
(kaf)
POLPACCIO

KNEE
(ni)
GINOCCHIO

LEG
(lég)
GAMBA

ANKLE
(ènkl)
CAVIGLIA

FOOT
(fut)
PIEDE

HEEL
(hiil)
TALLONE

SHIN
(scin)
STINCO

TOE
(tòu)
DITO DEL PIEDE

BONE
(bòun)

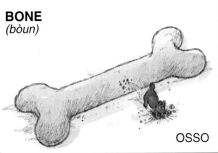

OSSO

BOOK
(buk)

LIBRO

BOSS
(bos)

CAPO

BOTTLE
(botl)

BOTTIGLIA

BOTTOM
(bòtem)

FONDO

BOX
(boks)

SCATOLA

BOY
(bòi)

RAGAZZO

BRAIN
(bréin)

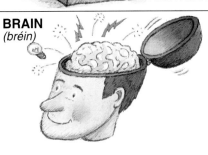

CERVELLO

BREAKFAST COLAZIONE
(brèkfest)

SUGAR
(sciùgar)
ZUCCHERO

JAM
(gém)
MARMELLATA

CEREAL
(sìriel)
CEREALI

TEA
(ti)
TÉ

YOGURT
(ioghert)
YOGURT

COFFEE
(kòfi)
CAFFÈ

BUTTER
(bàtar)
BURRO

FRUIT JUICE
(frùtgius)
SUCCO DI FRUTTA

BACON *(béiken)*
PANCETTA AFFUMICATA

MILK
(milk)
LATTE

BISCUIT
(bìskit)
BISCOTTO

EGG
(ég)
UOVO

TOAST *(tòust)*
PANE TOSTATO

SAUSAGE *(sòsidg)*
SALSICCIA

CROISSANT *(kruàson)*
BRIOCHE

BRIDGE
(bridg)

PONTE

BRIGHT
(bràit)

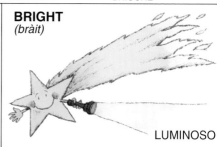

LUMINOSO

BROOM
(bruum)

SCOPA

BRUSH
(brash)

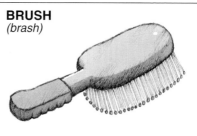

SPAZZOLA

BUILD (TO)
(tu bild)

COSTRUIRE

BURN (TO)
(tu bern)

BRUCIARE

BUS
(bas)

AUTOBUS

BUSY (TO BE)
(tu bi bìzi)

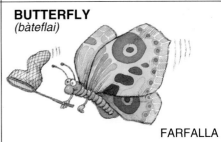

OCCUPATO   (ESSERE)

BUT
(bat)

MA

BUTTERFLY
(bàteflai)

FARFALLA

BUTTON
(batn)

BOTTONE

BUY (TO)
(tu bài)

COMPRARE

C

CALCULATOR
(kelkiuléitar)

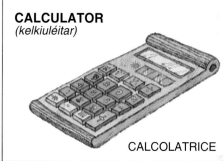

CALCOLATRICE

CALENDAR
(kèlendar)

CALENDARIO

CALL (TO)
(tu kol)

CHIAMARE

CALM
(kam)

CALMO

CAMERA
(kèmera)

MACCHINA
FOTOGRAFICA

CAN
(kèn)

POTERE

CANDLE
(kèndl)

CANDELA

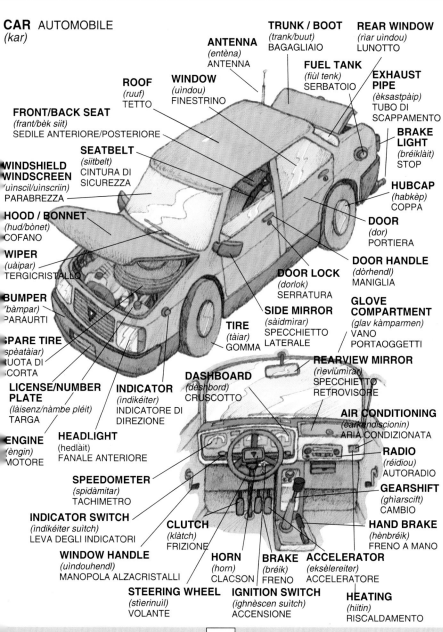

CAR AUTOMOBILE
(kar)

ANTENNA
(entèna)
ANTENNA

TRUNK / BOOT
(trank/buut)
BAGAGLIAIO

REAR WINDOW
(riar uìndou)
LUNOTTO

FUEL TANK
(fiùl tenk)
SERBATOIO

EXHAUST PIPE
(èksastpàip)
TUBO DI SCAPPAMENTO

ROOF
(ruuf)
TETTO

WINDOW
(uìndou)
FINESTRINO

FRONT/BACK SEAT
(frant/bèk siit)
SEDILE ANTERIORE/POSTERIORE

BRAKE LIGHT
(bréiklàit)
STOP

SEATBELT
(siitbelt)
CINTURA DI SICUREZZA

WINDSHIELD WINDSCREEN
(uìnscil/uìnscriin)
PARABREZZA

HUBCAP
(habkèp)
COPPA

DOOR
(dor)
PORTIERA

HOOD / BONNET
(hud/bònet)
COFANO

WIPER
(uàipar)
TERGICRISTALLO

DOOR HANDLE
(dòrhendl)
MANIGLIA

DOOR LOCK
(dorlok)
SERRATURA

BUMPER
(bàmpar)
PARAURTI

SIDE MIRROR
(sàidmìrar)
SPECCHIETTO LATERALE

GLOVE COMPARTMENT
(glav kàmparmen)
VANO PORTAOGGETTI

SPARE TIRE
(spèatàiar)
RUOTA DI SCORTA

TIRE
(tàiar)
GOMMA

REARVIEW MIRROR
(rieviùmìrar)
SPECCHIETTO RETROVISORE

LICENSE/NUMBER PLATE
(làisenz/nàmbe pléit)
TARGA

DASHBOARD
(dèshbord)
CRUSCOTTO

INDICATOR
(ìndikéiter)
INDICATORE DI DIREZIONE

AIR CONDITIONING
(èarkandiscionin)
ARIA CONDIZIONATA

ENGINE
(èngin)
MOTORE

HEADLIGHT
(hedlàit)
FANALE ANTERIORE

RADIO
(réidiou)
AUTORADIO

SPEEDOMETER
(spidàmitar)
TACHIMETRO

GEARSHIFT
(ghìarscift)
CAMBIO

INDICATOR SWITCH
(ìndikéiter suìtch)
LEVA DEGLI INDICATORI

CLUTCH
(klàtch)
FRIZIONE

HAND BRAKE
(hènbréik)
FRENO A MANO

WINDOW HANDLE
(uìndouhendl)
MANOPOLA ALZACRISTALLI

HORN
(horn)
CLACSON

BRAKE
(bréik)
FRENO

ACCELERATOR
(eksèlereiter)
ACCELERATORE

STEERING WHEEL
(stìerinuìl)
VOLANTE

IGNITION SWITCH
(ighnèscen suìtch)
ACCENSIONE

HEATING
(hìitin)
RISCALDAMENTO

CARDS
(kardz)

CARTE

CARE (TO TAKE ... OF)
(tu téik kèar ov)

CURA (AVER ... DI)

CARRY (TO)
(tu kèri)

PORTARE

CARTOONS
(kartùnz)

CARTONI ANIMATI

CASH
(kèsh)

CONTANTI

CASTLE
(kasl)

CASTELLO

CATCH (TO)
(tu kètch)

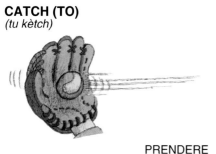

PRENDERE

CATERPILLAR
(kètepilar)

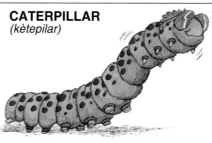

BRUCO

CELEBRATE (TO) *(tu sèlebréit)*
FESTEGGIARE

CENTER
(sèntar)

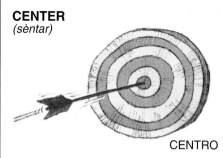

CENTRO

CENTIMETER
(sèntimiter)

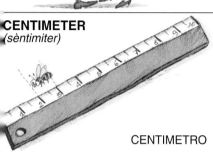

CENTIMETRO

CHANGE
(céindg)

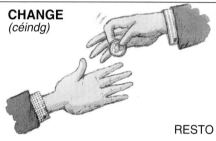

RESTO

CHANGE (TO) *(tu céindg)*

CAMBIARE

CHECK
(cek)

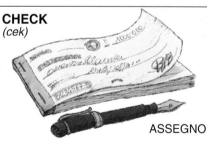

ASSEGNO

CHEMIST'S / PHARMACY

(kémists/fàrmasi)   FARMACIA

CHESTNUT
(cèsnat)

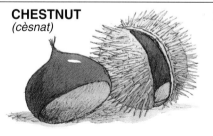

CASTAGNA

CHILD / CHILDREN *(ciàild/cìldren)*
BAMBINO / BAMBINI

CHOCOLATE
(ciòklet)

CIOCCOLATO

CHURCH
(certch)

CHIESA

CINEMA *(sìnema)*
CINEMA

CIRCUS
(serkes)

CIRCO

CITY
(sìti)

CITTÀ

CLASSROOM
(klàsrum)

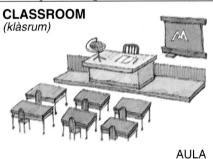

AULA

CLEAN
(kliin)

PULITO

CLOTHES VESTITI
(klòuz)

CAP
(kèp)
BERRÈTTO

T-SHIRT
(tìscert)
MAGLIETTA

WINDBREAKER
(uìnbréiker)
GIACCA A VENTO

BELT
(belt)
CINTURA

JEANS
(gìns)
JEANS

DRESS
(drés)
VESTITO

BARRETTE
(barèt)
FERMACAPELLI

SWEATER
(suètar)
MAGLIONE

SKIRT
(skert)
GONNA

SOCK
(sok)
CALZA

HAT
(hèt)
CAPPELLO

TENNIS SHOES
(ténisciùz)
SCARPE DA TENNIS

SHIRT
(scert)
CAMICIA

TIE
(tai)
CRAVATTA

JACKET
(gèkit)
GIACCA

COAT
(kòut)
CAPPOTTO

VEST
(vest)
GILET

GLOVE
(glav)
GUANTO

PANTS / TROUSERS
(pents/tràusez)
PANTALONI

SHOE
(sciù)
SCARPA

EARRING
(ìarin)
ORECCHINO

BLOUSE
(blàuz)
CAMICETTA

OVERCOAT
(òuvekòut)
SOPRABITO

HANDKERCHIEF
(hènkecif)
FAZZOLETTO

SUIT
(sut)
TAILLEUR

PURSE
(pèrs)
BORSA

STOCKINGS
(stòkinz)
COLLANT

BOOT
(buut)
STIVALE

CLOUD
(klàud)

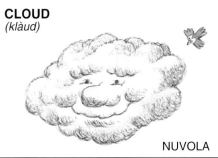

NUVOLA

CLOWN *(klàun)*

PAGLIACCIO

COCK
(kok)

GALLO

COCONUT
(kòukenat)

NOCE DI COCCO

COIN
(kòin)

MONETA

COLD *(kòuld)*

FREDDO

COLD
(kòuld)

RAFFREDDORE

COLLEGE
(kòledg)

COLLEGE

30

COLORS COLORI
(kàlez)

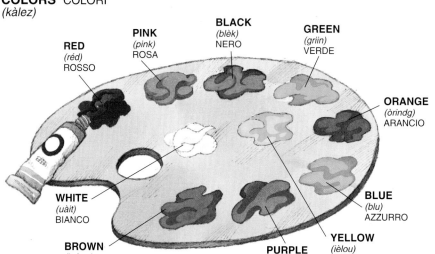

RED
(réd)
ROSSO

PINK
(pink)
ROSA

BLACK
(blèk)
NERO

GREEN
(griin)
VERDE

ORANGE
(òrindg)
ARANCIO

WHITE
(uàit)
BIANCO

BROWN
(bràun)
MARRONE

PURPLE
(pérpl)
VIOLA

YELLOW
(ièlou)
GIALLO

BLUE
(blu)
AZZURRO

COMB
(kòum)

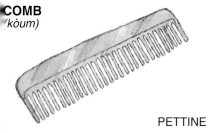

PETTINE

COME (TO)
(tu kam)

VENIRE

COMPETITION
(kompitìscen)

GARA

COMPUTER
(kompiùter)

COMPUTER

CONCERT
(kònsert)

CONCERTO

CONGRATULATIONS!
(kengrètiuléiscenz)

CONGRATULAZIONI!

CONVERSATION
(konverséiscen)

CONVERSAZIONE

COOK (TO)
(tu kuk)

CUCINARE

COPY (TO) *(tu copi)*

COPIARE

COSTUME
(kòstium)

COSTUME

COUNT (TO)
(tu kàunt)

CONTARE

COUNTRY
(kàntri)

CAMPAGNA

COWBOY
(kàuboi)

COWBOY

CRACK
(krek)

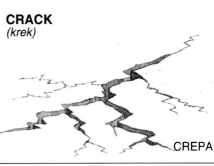

CREPA

CROSS (TO)
(tu kros)

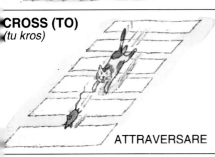

ATTRAVERSARE

CRY (TO)
(tu krài)

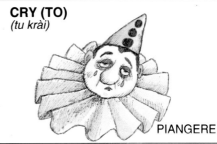

PIANGERE

CUP
(cap)

TAZZA

CUPBOARD
(kàbed)

ARMADIO

CUSTOMER
(kàstemr)

CLIENTE

CUT (TO)
(tu kat)

TAGLIARE

D

DAILY *(déili)*
QUOTIDIANO

DAMAGE (TO)
(tu dèmedg)

DANNEGGIARE

DANCE (TO) *(tu dans)*

BALLARE

DANDELION *(dèndilaion)*

SOFFIONE

DANGER
(déingiar)
PERICOLO

DARK
(dark)

BUIO

DATE *(déit)*

DATA

DAY GIORNO
(déi)

SUNRISE
(sànraiz)
ALBA

MORNING
(mòrnin)
MATTINO

NOON
(nun)
MEZZOGIORNO

AFTERNOON
(àftenun)
POMERIGGIO

SUNSET
(sànset)
TRAMONTO

EVENING
(ìvnin)
SERA

NIGHT
(nàit)
NOTTE

MIDNIGHT
(mìdnait)
MEZZANOTTE

DEAD
(ded)

MORTO

DEAR
(dìar)

CAR...

DECIDE (TO)
(tu disàid)

DECIDERE

DELIVER
(tu dilìver)

CONSEGNARE

DESERT
(dèzert)

DESERTO

DESK
(desk)

SCRIVANIA

DIFFERENT
(dìfrent)

DIVERSO

DIFFICULT *(dìficolt)*　　DIFFICILE

DINNER CENA
(dìnar)

APERITIF
(aperitif)
APERITIVO

APPETIZER
(épitaizar)
ANTIPASTO

SOUP
(sup)
MINESTRA

HAM
(hem)
PROSCIUTTO

MEAT
(mit)
CARNE

FISH
(fish)
PESCE

ROAST BEEF
(ròustbif)
ARROSTO

OLIVES
(òlivz)
OLIVE

STUFFING
(stàfin)
RIPIENO

GAME
(ghéim)
CACCIAGIONE

VEAL ROAST *(vilròust)*
ARROSTO DI VITELLO

POULTRY
(pòltri)
POLLAME

STEW
(stiù)
STUFATO

TURKEY
(terki)
TACCHINO

WINE
(uàin)
VINO

CHICKEN
(cìkin)
POLLO

PORK
(pork)
MAIALE

BREAD
(bréd)
PANE

STEAK
(stéik)
BISTECCA

SALAD
(sèled)
INSALATA

DESSERT
(dizèrt)
DOLCE

WATER
(uòtar)
ACQUA

LAMB
(lem)
AGNELLO

ROLLS
(ròulz)
PANINI

ICE CREAM
(aiskrìm)
GELATO

PIE
(pài)
CROSTATA

CAKE
(kéik)
TORTA

CHEESE
(ciiz)
FORMAGGIO

DINOSAUR *(dàinesor)*

DINOSAURO

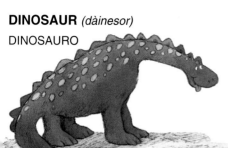

DIRECTION
(dirèkscen)

DIREZIONE

DIRTY
(derti)

SPORCO

DISCUSS (TO) *(tu diskàs)*

DISCUTERE

DIVE (TO)
(tu dàiv)

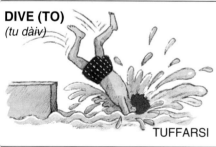

TUFFARSI

DO (TO)
(tu du)

FARE

DOLL
(dol)

BAMBOLA

DOLPHIN
(dòlfin)

DELFINO

38

DOOR
(dor)

PORTA

DOWN
(dàun)

GIÙ

DRAWING
(dròin)

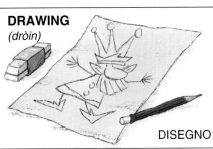

DISEGNO

DREAM
(driim)

SOGNO

DRINK (TO)
(tu drink)

BERE

DRIVE (TO)
(tu dràiv)

GUIDARE

DRY
(drai)

SECCO

DUCK
(dak)

ANATRA

E

EACH
(itch)

OGNI

EAGLE *(ighl)*

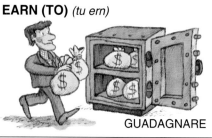

AQUILA

EARLY
(érli)

PRESTO

EARN (TO) *(tu ern)*

GUADAGNARE

EARTH
(erth)

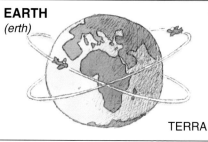

TERRA

EASY
(ìzi)

FACILE

EAT (TO)
(tu iit)

MANGIARE

ECHO
(èkou)

ECO

ELECTRICITY *(elektrìsiti)*

ELETTRICITÀ

ELEGANT
(élighent)

ELEGANTE

ELEVATOR
(èlivéitar)

ASCENSORE

EMPTY / FULL *(èmpti/ful)*

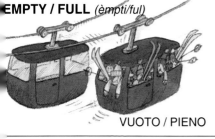

VUOTO / PIENO

END
(end)

FINE

ENJOY (TO)
tu engiòi)

GUSTARE

ENTRANCE
(èntrens)

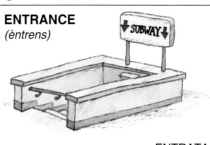

ENTRATA

41

ENVELOPE
(ènviloup)

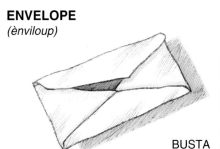

BUSTA

EQUAL
(ìkuel)

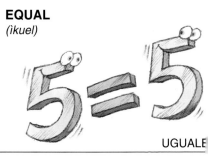

UGUALE

EXAM
(igzèm)

ESAME

EXERCISE
(èksesaiz)

ESERCIZIO

EXERCISE BOOK
(èksesaiz buk)

QUADERNO

EXIT
(èksit)

USCITA

EXPLAIN (TO)
(tu ikspléin)

SPIEGARE

EXTRA
(èkstra)

SUPPLEMENTARE

F

FABLE
(féibl)
FAVOLA

FACE
(féis)

FACCIA

FACTORY
(fèkteri)

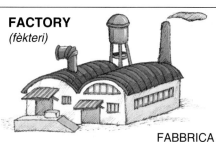

FABBRICA

FAIR
(fèar)

FIERA

FAIRY
(fèari)
FATA

FALL (TO)
(tu fol)

CADERE

FALSE *(fols)*

FALSO

FAMILY FAMIGLIA
(fèmili)

GRANDMOTHER
(grènmàdhar)
NONNA

GRANDFATHER
(grènfadhar)
NONNO

GRANDPARENTS
(grènpèrents)
NONNI

GRANDCHILDREN
(grèncildren)
NIPOTI

DAUGHTER
(dòtar)
FIGLIA

SON
(san)
FIGLIO

FATHER
(fadhar)
PADRE

MOTHER
(màdhar)
MADRE

UNCLE
(ankl)
ZIO

AUNT
(ant)
ZIA

SISTER
(sìstar)
SORELLA

WIFE
(uàif)
MOGLIE

BROTHER
(bràdhar)
FRATELLO

HUSBAND
(hàzben)
MARITO

BABY
(béibi)
BAMBINO

NEPHEW / NIECE
(nèviu/nis)
NIPOTE (M) / NIPOTE (F)

PARENTS
(pèrents)
GENITORI

BROTHER
(bràdhar)
FRATELLO

COUSINS
(kaznz)
CUGINI

SISTER
(sìstar)
SORELLA

CHILDREN
(cìldren)
RAGAZZI

44

FAMOUS *(féimes)*
FAMOSO

FAR
(far)

LONTANO

FARM
(farm)

FATTORIA

FAST
(fast)

VELOCE

FAT
(fèt)

GRASSO

FATHER CHRISTMAS
(fàdhekrìsmes)

BABBO NATALE

FAVORITE
(féiverit)

PREFERITO

FEATHER
(fèdhar)

PENNA

FEMALE
(fìmeil)

FEMMINA

FILM
(film)

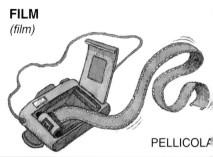

PELLICOLA

FINISH (TO)
(tu finish)

FINIRE

FIRE
(fàiar)

FUOCO

FIRE
(fàiar)

INCENDIO

FISH
(fish)

PESCE

FIX (TO)
(tu fiks)

RIPARARE

FLAG
(flèg)

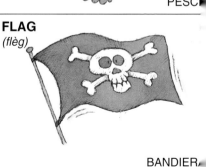

BANDIERA

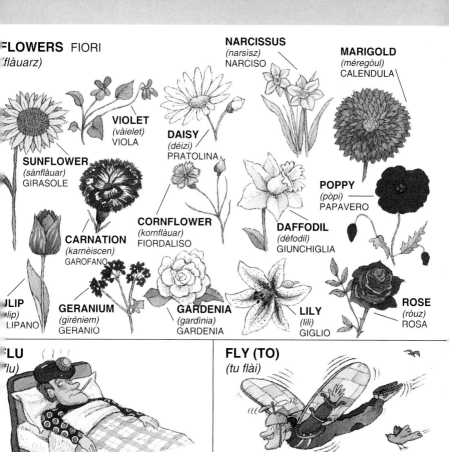

FLOWERS FIORI
(flàuarz)

SUNFLOWER
(sànflàuar)
GIRASOLE

VIOLET
(vàielet)
VIOLA

DAISY
(déizi)
PRATOLINA

NARCISSUS
(narsìsz)
NARCISO

MARIGOLD
(méregòul)
CALENDULA

CARNATION
(karnèiscen)
GAROFANO

CORNFLOWER
(kornflàuar)
FIORDALISO

POPPY
(pòpi)
PAPAVERO

DAFFODIL
(dèfodil)
GIUNCHIGLIA

TULIP
(tiùlip)
TULIPANO

GERANIUM
(giréniem)
GERANIO

GARDENIA
(gardìnia)
GARDENIA

LILY
(lili)
GIGLIO

ROSE
(ròuz)
ROSA

FLU
(flu)

INFLUENZA

FLY (TO)
(tu flài)

VOLARE

FOG
(fog)

NEBBIA

FOLLOW (TO)
(tu fòlou)

SEGUIRE

FOOD
(fud)

CIBO

FOREST
(fòrist)

FORESTA

FORGET (TO)
(tu forghèt)

DIMENTICARE

FORK
(fork)

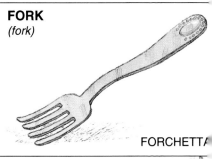

FORCHETTA

FOUR-LEAF CLOVER
(fòrlif klòuvar)

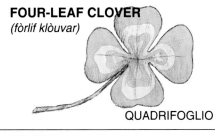

QUADRIFOGLIO

FOX
(foks)

VOLPE

FRIEND
(frend)

AMICO

FROM
(from)

DA

FRUIT FRUTTA
(frut)

APPLE
(èpl)
MELA

ORANGE
(òrindg)
ARANCIA

DATE
(déit)
DATTERO

BANANA
(benàna)
BANANA

BLACKBERRY
(blèkbri)
MORA

KIWI
(kìui)
KIWI

LEMON
(lèmen)
LIMONE

MELON
(mèlen)
MELONE

PEACH
(pitch)
PESCA

COCONUT
(kòukenat)
NOCE DI COCCO

LIME
(làim)
LIME

CHERRY
(cèri)
CILIEGIA

GRAPES
(gréips)
UVA

STRAWBERRY
(stròbri)
FRAGOLA

WATERMELON
(uòtamelen)
ANGURIA

PEAR
(pèar)
PERA

BLUEBERRIES
(blùbriz)
MIRTILLI

PINEAPPLE
(pàinepl)
ANANAS

POMEGRANATE
(pòmgrenit)
MELAGRANA

GRAPEFRUIT
(gréipfrut)
POMPELMO

PLUM
(plam)
PRUGNA

APRICOT
(éiprikot)
ALBICOCCA

RASPBERRY
(ràzbri)
LAMPONE

49

G

GAME
(ghéim)

GIOCO

GARAGE *(gheràdg)*

GARAGE

GARBAGE
(gàrbidg)

SPAZZATURA

GARDEN
(gardn)

GIARDINO

GASOLINE *(ghèsolin)*

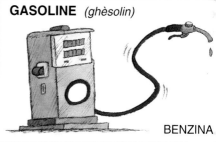

BENZINA

GATE
(ghéit)

CANCELLO

GENTLY
(gèntli)

DELICATAMENTE

GET (TO) PRENDERE
(tu ghet)

GET OFF (TO)
(tu ghètof)
SCENDERE

GET UP (TO)
(tu ghètap)
ALZARSI

GET IN (TO)
(tu ghètin)
ENTRARE

GET ON (TO)
(tu ghèton)
SALIRE

GET DOWN (TO)
(tu ghetdàun)
SCENDERE

GET OUT (TO)
(tu ghetàut)
USCIRE

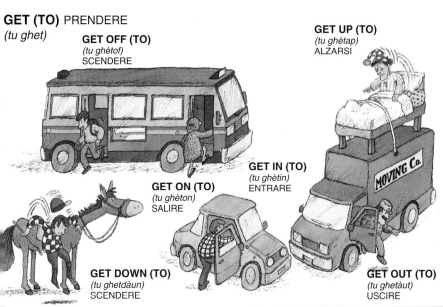

GHOST
(gost)

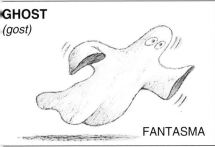

FANTASMA

GIANT
(giàient)

GIGANTE

GIFT
(ghift)

REGALO

GIRL
(gherl)

RAGAZZA

GIVE (TO)
(tu ghiv)

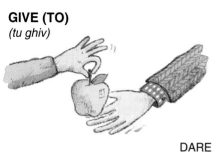

DARE

GLASS
(glas)

BICCHIERE

GLASS
(glas)

VETRO

GLASSES
(glàsiz)

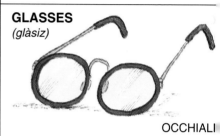

OCCHIALI

GO (TO) ANDARE
(tu gòu)

GO IN (TO)
(tu gòu in)
ENTRARE

GO DOWN (TO)
(tu gòu dàun)
SCENDERE

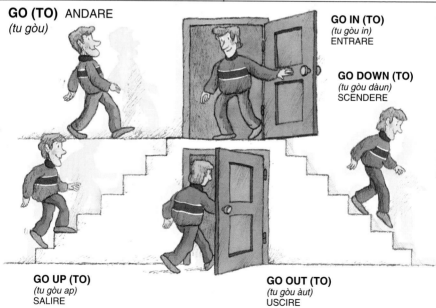

GO UP (TO)
(tu gòu ap)
SALIRE

GO OUT (TO)
(tu gòu àut)
USCIRE

GOLD *(gòuld)*

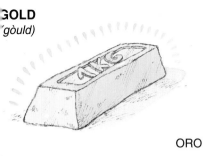

ORO

GOLF COURSE *(golf kors)*

CAMPO DA GOLF

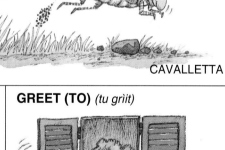

GOOD *(gud)*

BUONO

GRAM *(grem)*

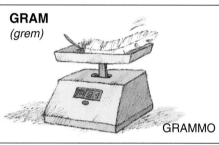

GRAMMO

GRASS *(gras)*

GRASSHOPPER *(gràshopar)*

ERBA

CAVALLETTA

GRAVITY *(grèviti)*

GRAVITÀ

GREET (TO) *(tu grìit)*

SALUTARE

GROCERIES
(gròuseris)

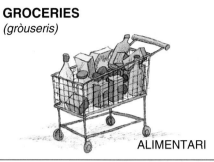

ALIMENTARI

GROUND
(gràund)

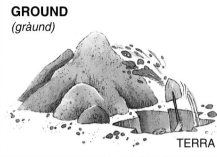

TERRA

GROUP *(grup)*
GRUPPO

GROW (TO)
(tu gròu)

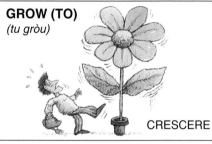

CRESCERE

GUESS (TO)
(tu ghes)

INDOVINARE

GUEST
(ghest)
OSPITE

GUITAR
(ghitàr)

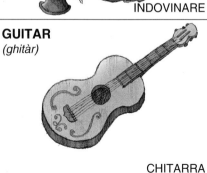

CHITARRA

GYMNASTICS
(gimnèstiks)

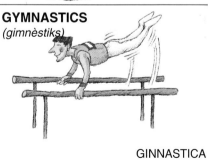

GINNASTICA

H

HAIRBRUSH
(hèabrash)

SPAZZOLA

HALF
(haf)

METÀ

HAMMER
(hèmer)

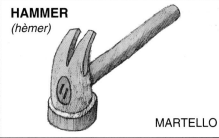

MARTELLO

HANDSOME
(hènsam)

BELLO

HANG (TO)
(tu hen)

APPENDERE

HAPPY
(hèpi)

FELICE

HARD
(hard)

DURO

HAVE (TO)
(tu hèv)

AVERE

HEADACHE
(hèdeik)

MAL DI TEST

HEALTHY
(hèlthi)

SANO

HEAR (TO)
(tu hìar)

SENTÍRI

HEART
(hart)

CUORE

HEAT
(hit)

CALORI

HEAVEN
(hevn)

PARADISO

HEAVY
(hèvi)

PESANTE

56

HELICOPTER *(hèlikoptar)*

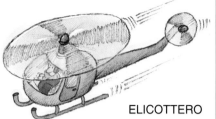

ELICOTTERO

HELLO / GOODBYE
(halòu/gùdbai)

CIAO

HELMET
(hèlmit)

CASCO

HELP
(help)

AIUTO

HERE
(hìar)

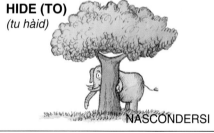

QUI

HIDE (TO)
(tu hàid)

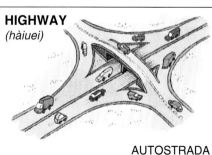

NASCONDERSI

HIGH
(hài)

ALTO

HIGHWAY
(hàiuei)

AUTOSTRADA

HITCHHIKING *(hitchhàikin)*
AUTOSTOP

HOLD (TO)
(tu hòuld)

TENERE

HOLE
(hòul)

BUCO

HOLIDAY *(holidéi)*

VACANZA

HOME
(hòum)

CASA

HOSPITAL
(hòspitl)

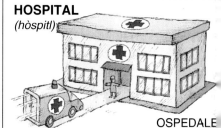

OSPEDALE

HOT
(hot)

CALDO

HOTEL
(houtèl)

ALBERGO

58

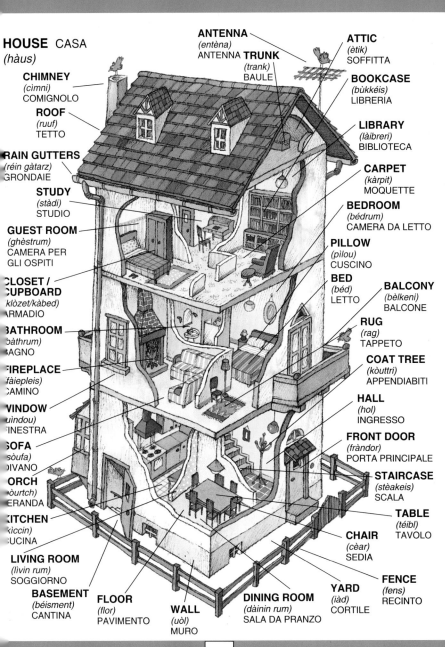

HOUSE CASA
(hàus)

CHIMNEY
(cìmni)
COMIGNOLO

ROOF
(ruuf)
TETTO

RAIN GUTTERS
(réin gàtarz)
GRONDAIE

STUDY
(stàdi)
STUDIO

GUEST ROOM
(ghèstrum)
CAMERA PER
GLI OSPITI

**CLOSET /
CUPBOARD**
(klòzet/kàbed)
ARMADIO

BATHROOM
(bàthrum)
BAGNO

FIREPLACE
(fàiepleis)
CAMINO

WINDOW
(uìndou)
FINESTRA

SOFA
(sòufa)
DIVANO

PORCH
(pòurtch)
VERANDA

KITCHEN
(kìccin)
CUCINA

LIVING ROOM
(lìvin rum)
SOGGIORNO

BASEMENT
(béisment)
CANTINA

FLOOR
(flor)
PAVIMENTO

WALL
(uòl)
MURO

ANTENNA
(entèna)
ANTENNA

TRUNK
(trank)
BAULE

ATTIC
(ètik)
SOFFITTA

BOOKCASE
(bùkkéis)
LIBRERIA

LIBRARY
(làibreri)
BIBLIOTECA

CARPET
(kàrpit)
MOQUETTE

BEDROOM
(bédrum)
CAMERA DA LETTO

PILLOW
(pìlou)
CUSCINO

BED
(béd)
LETTO

BALCONY
(bèlkeni)
BALCONE

RUG
(rag)
TAPPETO

COAT TREE
(kòuttri)
APPENDIABITI

HALL
(hol)
INGRESSO

FRONT DOOR
(fràndor)
PORTA PRINCIPALE

STAIRCASE
(stèakeis)
SCALA

TABLE
(téibl)
TAVOLO

CHAIR
(cèar)
SEDIA

FENCE
(fens)
RECINTO

YARD
(iàd)
CORTILE

DINING ROOM
(dàinin rum)
SALA DA PRANZO

HOW COME
(hàu)

HOW ARE YOU?
(hàu ar iù)
COME STAI?

HOW DO YOU DO?
(hàu du iù du)
COME STA?

HOW MANY?
(hàu mèni)
QUANTI?

HOW MUCH?
(hàu màtch)
QUANTO?

HOWEVER
(hauèvar)

COMUNQUE

HUNGRY (TO BE)
(tu bi hàngri)

FAME (AVERE

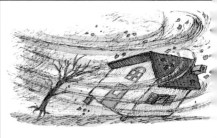

HUNTER
(hàntar)

CACCIATORE

HURRICANE *(hàrikein)*   URAGANO

60

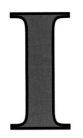

ICE
(àis)

GHIACCIO

ICE CREAM
(aiskrìm)

GELATO

IDEA
(aidìa)

IDEA

IF
(if)

SE

ILL *(il)*
MALATO

IMPORTANT
(impòrtent)

IMPORTANTE

IN
(in)

DENTRO

IN FRONT OF
(in frant ov)

DAVANTI A

INCH
(intch)

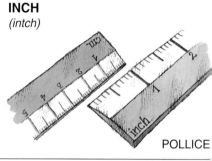

POLLICE

INDIAN
(indian)

INDIANO

INFORMATION
(infeméiscen)

INFORMAZIONE

INK *(ink)*

INCHIOSTRO

INSIDE
(insàid)

DENTRO

INTRODUCE (TO)
(tu ìntrediùs) PRESENTARE

ISLAND
(àilend)

ISOLA

J

JAR *(giàr)*
VASETTO

JAW *(giò)*

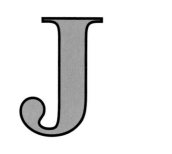

MANDIBOLA

JEWEL *(giùel)*

GIOIELLO

JOB *(giòb)*

LAVORO

JOKE *(giòuk)*

SCHERZO

JUDGE *(giàdg)*

GIUDICE

JUMP (TO) *(tu giamp)*

SALTARE

K

KEY
(ki)

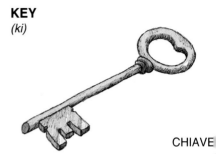

CHIAVE

KIND
(kàind)

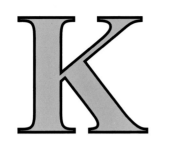

GENTILE

KING
(kin)

RE

KISS
(kis)

BACIO

KNIFE
(nàif)

COLTELLO

KNOCK (TO)
(tu nok)

BUSSARE

KNOW (TO)
(tu nòu)

SAPERE

L

LADDER
(lèdar)

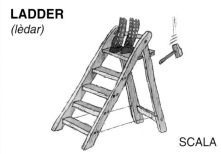

SCALA

LADYBIRD
(léidiberd)

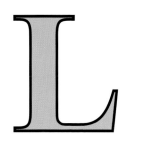

COCCINELLA

LAKE
(léik)

LAGO

LAMP
(lèmp)

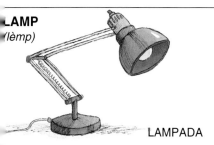

LAMPADA

LATE
(léit)

TARDI

LAUGH (TO)
(tu laf)

RIDERE

LAWN
(lon)

PRATO

LAZY
(léizi)

PIGRO

LEAF
(liif)

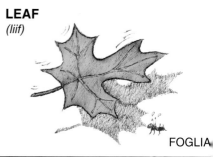

FOGLIA

LEARN (TO)
(tu lern)

IMPARARE

LEAVE (TO)
(tu liiv)

PARTIRE

LEFT
(léft)

SINISTRA

LESSON
(lesn)

LEZIONE

LETTER
(lètar)

LETTERA

LIE
(lài)

BUGIA

66

LIFT *(lift)* ASCENSORE

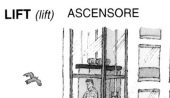

LIGHT
(làit)

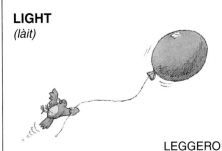

LEGGERO

LIGHT
(làit)

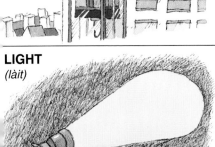

LUCE

LIKE (TO)
(tu làik)

PIACERE

LIPS
(lips)

LABBRA

LISTEN (TO)
(tu lisn)

ASCOLTARE

LITTLE
(litl)

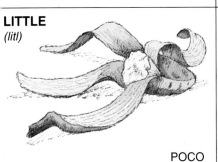

POCO

LIVE (TO)
(tu liv)

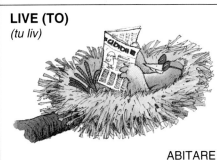

ABITARE

LONG
(lon)

LUNGO

LOOK AT (TO)
(tu luk èt)

GUARDARE

LOVE
(lav)

AMORE

LUCKY
(làki)

FORTUNATO

LUNCH PRANZO
(lantch)

SALAD
(sèled)
INSALATA

PIZZA
(pizza)
PIZZA

SOFT DRINK
(soft drink)
BIBITA

SANDWICH
(sènuidg)
PANINO

FRENCH FRIES
(frèntchfrais)
PATATINE FRITTE

HOT DOG
(hotdog)
HOT DOG

COOKIE
(kùki)
BISCOTTO

HAMBURGER
(hèmberga)
HAMBURGER

PASTA
(pasta)
PASTA

68

M

MAGAZINE
(mèghezìn)

RIVISTA

MAGICIAN
(megìscen)

MAGO

MAIL
(méil)

POSTA

MAKE (TO)
(tu méik)

CREARE

MALE
(méil)

MASCHIO

MAN
(mèn)

UOMO

MANY *(mèni)*

TANTI

MAP
(mèp)

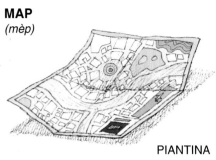

PIANTINA

MARKET
(màrkit)

MERCATO

MARRIAGE
(mèriedg)

MATRIMONIO

MATCH
(mètch)

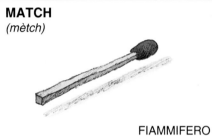

FIAMMIFERO

MATH
(meth)

MATEMATICA

MEAL
(mil)

PASTO

MEAT
(mit)

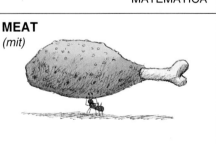

CARNE

MEDICINE
(médisin)

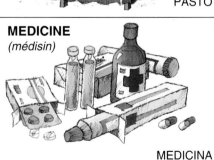

MEDICINA

MEET (TO) *(tu mit)*
INCONTRARE

MENU
(mèniu)

MENU

MESS
(més)

DISORDINE

MESSAGE
(mèsidg)

MESSAGGIO

MINUTE
(mìnit)

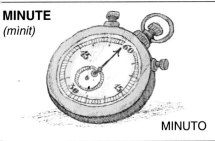

MINUTO

MIRROR *(mìror)*

SPECCHIO

MISTAKE *(mistéik)*

ERRORE

MONEY
(mani)

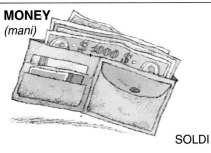

SOLDI

MONTHS MESI
(manths)

JANUARY
(gèniueri)
GENNAIO

FEBRUARY
(fèbrueri)
FEBBRAIO

MARCH
(martch)
MARZO

APRIL
(éipril)
APRILE

MAY
(méi)
MAGGIO

JUNE
(giùn)
GIUGNO

JULY
(giulài)
LUGLIO

AUGUST
(òghest)
AGOSTO

SEPTEMBER
(septèmbar)
SETTEMBRE

OCTOBER
(oktòubar)
OTTOBRE

NOVEMBER
(nouvèmbar)
NOVEMBRE

DECEMBER
(disèmbar)
DICEMBRE

MOON
(muun)

LUNA

MOSQUITO
(moskìtou)

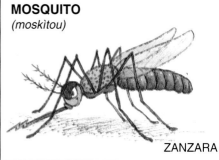

ZANZARA

MOTO-CROSS
(mòtekròss)

MOTORCYCLE
(mòutesàikl)

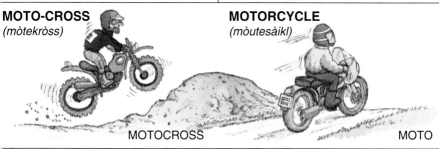

MOTOCROSS

MOTO

MOUNTAIN
(màuntin)

MONTAGNA

MOUSE
(màus)

TOPO

MOVE (TO)
(tu muv)

SPOSTARE

MUCH
(màtch)

TANTO

MUSCLE
(masl)

MUSCOLO

MUSEUM
(miuzìem)

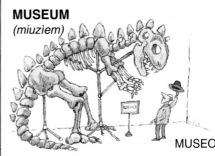

MUSEO

MUSICAL INSTRUMENTS STRUMENTI MUSICALI
(miùzikl ìnstremnts)

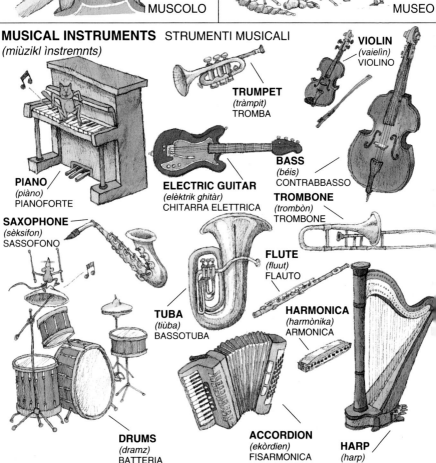

TRUMPET
(tràmpit)
TROMBA

VIOLIN
(vaielìn)
VIOLINO

PIANO
(piàno)
PIANOFORTE

ELECTRIC GUITAR
(elèktrik ghitàr)
CHITARRA ELETTRICA

BASS
(béis)
CONTRABBASSO

TROMBONE
(trombòn)
TROMBONE

SAXOPHONE
(sèksifon)
SASSOFONO

FLUTE
(fluut)
FLAUTO

TUBA
(tiùba)
BASSOTUBA

HARMONICA
(harmònika)
ARMONICA

DRUMS
(dramz)
BATTERIA

ACCORDION
(ekòrdien)
FISARMONICA

HARP
(harp)
ARPA

74

N

NAIL (TOE-/FINGER-)
(néil; tòu-/fìngar-)

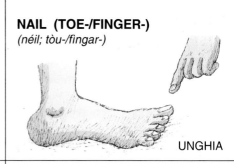

UNGHIA

NAIL
(néil)

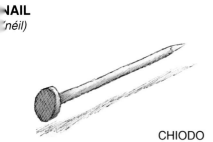

CHIODO

NAME
(néim)

NOME

NAP
(nèp)

PISOLINO

NAPKIN
(nèpkin)

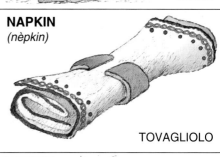

TOVAGLIOLO

NARROW
(nèrou)

STRETTO

NATION
(néiscen)

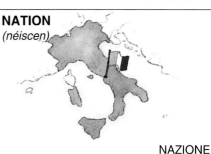

NAZIONE

NATIONS & FLAGS NAZIONI & BANDIERE
(néiscenz en flègs)

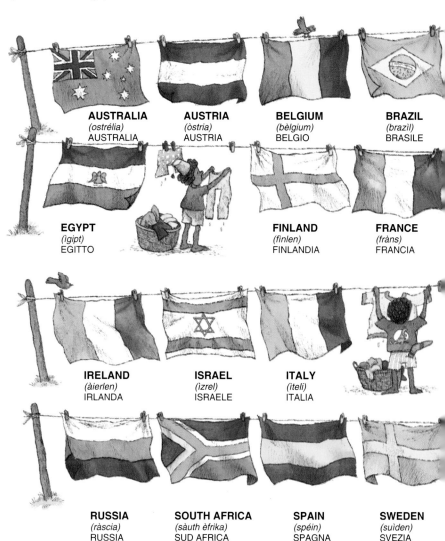

AUSTRALIA
(ostrélia)
AUSTRALIA

AUSTRIA
(òstria)
AUSTRIA

BELGIUM
(bèlgium)
BELGIO

BRAZIL
(brazìl)
BRASILE

EGYPT
(ìgipt)
EGITTO

FINLAND
(fìnlen)
FINLANDIA

FRANCE
(fràns)
FRANCIA

IRELAND
(àierlen)
IRLANDA

ISRAEL
(izrel)
ISRAELE

ITALY
(ìteli)
ITALIA

RUSSIA
(ràscia)
RUSSIA

SOUTH AFRICA
(sàuth èfrika)
SUD AFRICA

SPAIN
(spéin)
SPAGNA

SWEDEN
(suìden)
SVEZIA

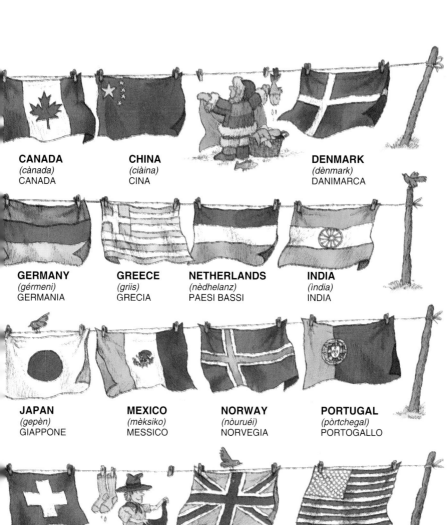

CANADA
(cànada)
CANADA

CHINA
(ciàina)
CINA

DENMARK
(dènmark)
DANIMARCA

GERMANY
(gérmeni)
GERMANIA

GREECE
(griis)
GRECIA

NETHERLANDS
(nèdhelanz)
PAESI BASSI

INDIA
(ìndia)
INDIA

JAPAN
(gepèn)
GIAPPONE

MEXICO
(mèksiko)
MESSICO

NORWAY
(nòuruéi)
NORVEGIA

PORTUGAL
(pòrtchegal)
PORTOGALLO

SWITZERLAND
(suìzerlen)
SVIZZERA

UNITED KINGDOM
(iunàitd kìndom)
REGNO UNITO

U.S.A. (United States of America)
(ìuesséi)
STATI UNITI D'AMERICA

NEAR
(nìar)

VICINO

NEEDLE
(nidl)

AGO

NEVER
(nèvar)

MAI

NEW
(niù)

NUOVO

NEWSPAPER
(niùzpéipar)

GIORNALE

NO
(nòu)

NO

NOBODY
(nòubedi)

NESSUNO

NOISE *(nòiz)*

RUMORE

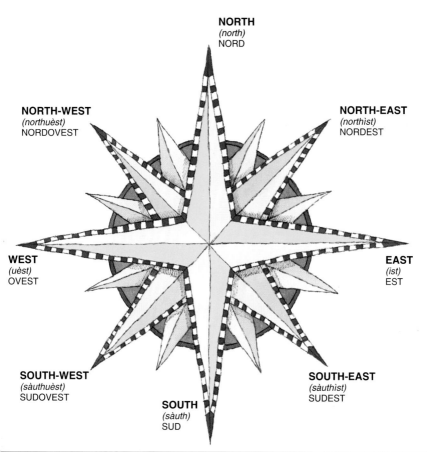

NORTH
(north)
NORD

NORTH-WEST
(northuèst)
NORDOVEST

NORTH-EAST
(northìst)
NORDEST

WEST
(uèst)
OVEST

EAST
(ist)
EST

SOUTH-WEST
(sàuthuèst)
SUDOVEST

SOUTH-EAST
(sàuthìst)
SUDEST

SOUTH
(sàuth)
SUD

NOTHING
(nàthin)

NIENTE

NOW
(nau)

ADESSO

NUMBERS NUMERI
(nàmbez)

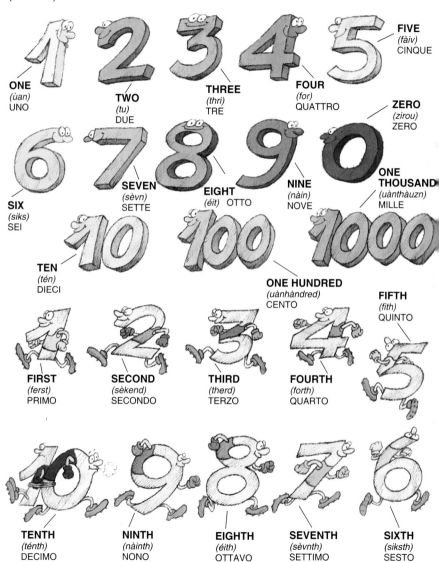

ONE
(ùan)
UNO

TWO
(tu)
DUE

THREE
(thri)
TRE

FOUR
(for)
QUATTRO

FIVE
(fàiv)
CINQUE

SIX
(siks)
SEI

SEVEN
(sèvn)
SETTE

EIGHT
(éit) OTTO

NINE
(nàin)
NOVE

ZERO
(zirou)
ZERO

ONE THOUSAND
(uànthàuzn)
MILLE

TEN
(tén)
DIECI

ONE HUNDRED
(uànhàndred)
CENTO

FIRST
(ferst)
PRIMO

SECOND
(sèkend)
SECONDO

THIRD
(therd)
TERZO

FOURTH
(forth)
QUARTO

FIFTH
(fith)
QUINTO

TENTH
(ténth)
DECIMO

NINTH
(nàinth)
NONO

EIGHTH
(éith)
OTTAVO

SEVENTH
(sèvnth)
SETTIMO

SIXTH
(siksth)
SESTO

O

OAK
(òuk)

QUERCIA

OCEAN
(òuscen)

OCEANO

OFFICE
(òfis)

UFFICIO

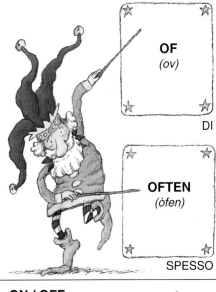

OF
(ov)

DI

OFTEN
(òfen)

SPESSO

OLD
(òuld)

VECCHIO

ON / OFF
(on/of)

ACCESO / SPENTO

ONLY
(òunli)

SOLAMENTE

APERTO / CHIUSO

OPPOSITE
(òpezit)

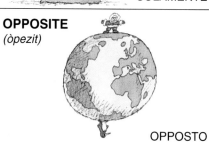

OPPOSTO

OR
(or)

O

ORDER (TO)
(tu òrdar)

ORDINARE

OSTRICH
(òstritch)

STRUZZO

OUT
(àut)

FUORI

OYSTER
(òistar)

OSTRICA

P

PAGE
(péidg)

PAGINA

PAPER
(péipar)

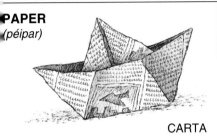

CARTA

PARACHUTE
(pèresciut)

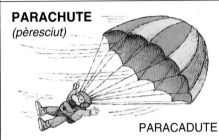

PARACADUTE

PARK *(park)*

PARCO

PARROT
(pèrot)

PAPPAGALLO

PARTY
(pàrti)

FESTA

PASSPORT
(pàsport)

PASSAPORTO

PEN
(pen)

PENCIL
(pensl)

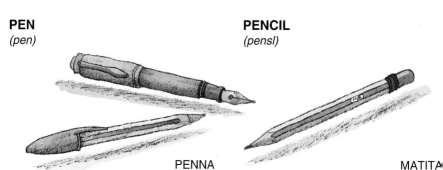

PENNA

MATITA

PENGUIN
(pènguin)

PINGUINO

PETROLEUM
(petròliem)

PETROLIC

PHOTOGRAPH
(fòutograf)

FOTOGRAFIA

PICTURE
(pìkciar)

QUADRO

PLATE
(pléit)

PIATTO

PLAY (TO)
(tu pléi)

GIOCARE

PLAY (TO)
(tu pléi)

SUONARE

PLEASE
(pliiz)

PER PIACERE

POCKET
(pokit)

TASCA

POINT TO (TO)
(tu pòint tu)

INDICARE

POLLUTION
(polùscion)

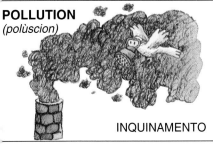

INQUINAMENTO

PORT
(port)

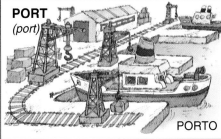

PORTO

PRESENT
(prèznt)

REGALO

PROBLEM
(pròblem)

PROBLEMA

PROFESSIONS PROFESSIONI
(prefèscionz)

ACTOR
(èktor)
ATTORE

ARTIST
(artist)
PITTORE

SINGER
(singar)
CANTANTE

DENTIST
(dèntist)
DENTISTA

DOCTOR
(dòktar)
MEDICO

NURSE
(ners)
INFERMIERA

COOK
(kuk)
CUOCO

BUTCHER
(bùcciar)
MACELLAIO

FARMER
(fàrmar)
AGRICOLTORE

MUSICIAN
(miuziscen)
MUSICISTA

MUSIC CONDUCTOR
(miùzik kendàktar)
DIRETTORE D'ORCHESTRA

BARBER
(barber)
BARBIERE

PAINTER
(péintar)
IMBIANCHINO

PLUMBER
(plàmar)
IDRAULICO

CARPENTER
(kàrpintar)
FALEGNAME

SOLDIER
(sòulgiar)
SOLDATO

POLICEMAN
(pelismèn)
POLIZIOTTO

FIREMAN
(faiemèn)
POMPIERE

TEACHER
(tìcciar)
INSEGNANTE

WRITER
(ràitar)
SCRITTORE

TAILOR
(téilar)
SARTO

FISHERMAN
(fiscermèn)
PESCATORE

SAILOR *(séilar)*   MARINAIO

POSTMAN
(poustmèn)
POSTINO

87

PROFESSOR
(prefèsar)

PROFESSORE

PROMISE (TO)
(tu pròmis)

PROMETTERE

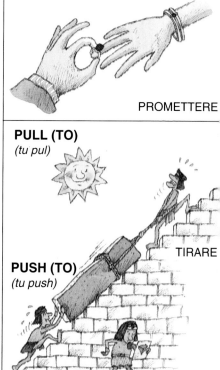

PROUD
(pràud)

ORGOGLIOSO

PULL (TO)
(tu pul)

TIRARE

PUPIL
(piùpl)

ALUNNO

PUSH (TO)
(tu push)

SPINGERE

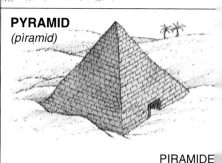

PUZZLE
(pàzel)

ROMPICAPO

PYRAMID
(pìramid)

PIRAMIDE

QUAIL
(kuéil)

QUAGLIA

QUALITY
(kuòliti)

QUALITÀ

QUANTITY
(kuòntiti)

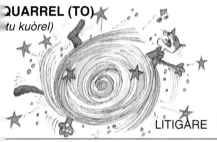

QUANTITÀ

QUARREL (TO)
(tu kuòrel)

LITIGARE

QUARTER
(kuòrtar)

QUARTO

QUEEN
(kuìn)

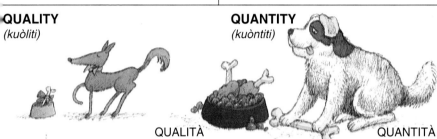

REGINA

QUESTION
(kuèstcien)

DOMANDA

QUEUE
(kiù)

CODA

QUICK
(kuìk)

VELOCE

QUICKSAND
(kuìksend)

SABBIE MOBILI

QUIET *(kuàiet)*

SILENZIOSO

QUILL
(kuìl)

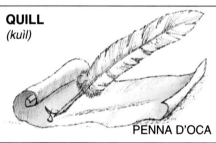

PENNA D'OCA

QUILT
(kuìlt)

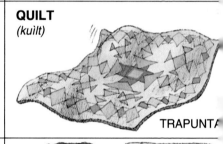

TRAPUNTA

QUIVER
(kuìver)

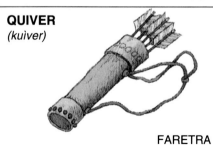

FARETRA

QUIZ (TO)
(tu kuìz)

INTERROGARE

90

R

RACE
(réis)

CORSA

RADIO *(réidiou)*

RADIO

RAFT
(raft)

ZATTERA

RAIN *(réin)*

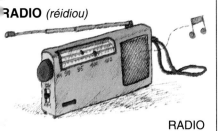

PIOGGIA

RAINBOW
(réinbou)

ARCOBALENO

READ (TO)
(tu riid)

LEGGERE

RECORD
(rèkord)

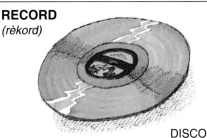

DISCO

REFRIGERATOR *(rifrigeréiter)*

FRIGORIFERO

RELATIVES *(rèletivs)*

PARENTI

RELAX (TO)
(tu rilàks)

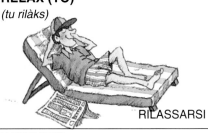

RILASSARSI

REPEAT (TO)
(tu ripìt)

RIPETERE

REST (TO)
(tu rest)

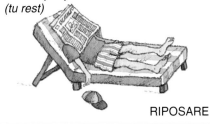

RIPOSARE

RESTAURANT
(rèsterent)

RISTORANTE

RHINOCEROS *(rainòseres)*

RINOCERONTE

RICE
(ràis)

RISO

RICH *(ritch)*
RICCO

RIGHT *(ràit)*
DESTRA

RING
(rin)

ANELLO

RIVER *(rivar)*

FIUME

ROBOT
(roubet)

ROBOT

ROAD
(ròud)

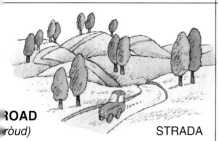

STRADA

ROCK
(rok)

ROLL (TO)
(tu ròul)

ROCCIA

ROTOLARE

ROPE
(ròup)

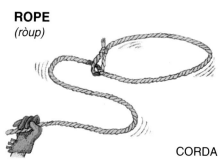

CORDA

ROYAL
(ròial)

REALE

RUBBER / ERASER
(ràbar/iréiser)

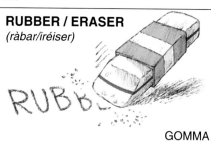
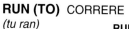

GOMMA

RUCKSACK
(ràksek)

ZAINO

RUN (TO) CORRERE
(tu ran)

RUN ACROSS (TO)
(tu ran ekròs)
TROVARE
PER CASO

RUN AFTER (TO)
(tu ran àfter)
INSEGUIRE

RUN AWAY (TO)
(tu ran euéi)
SCAPPARE

RUN AROUND (TO)
(tu ran araund)
CORRERE
DI QUA E DI LÀ

RUN OVER (TO)
(tu ran òuvar)
INVESTIRE

RUN OUT OF (TO)
(tu ran àut ov)
FINIRE

RUN TO (TO)
(tu ran tu)
CORRERE A

S

SAD
(sèd)

TRISTE

SAFE
(séif)

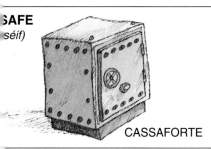

CASSAFORTE

SAIL
(séil)

VELA

SALE
(séil)

SVENDITA

SAME
(séim)

STESSO

SAND *(sènd)*

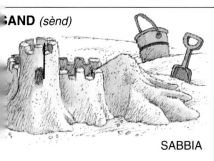

SABBIA

SAVE (TO)
(tu séiv)

RISPARMIARE

SAY (TO)
(tu séi)

DIRE

SCALE
(skéil)

BILANCIA

SCARF
(skarf)

SCIARPA

SCENERY *(sìneri)*

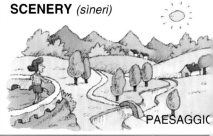

PAESAGGIO

SCHOOL
(skuul)

SCUOLA

SCISSORS
(sìserz)

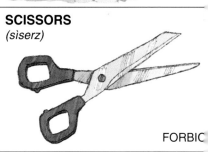

FORBIC

SEA
(si)

SEAL
(siil)

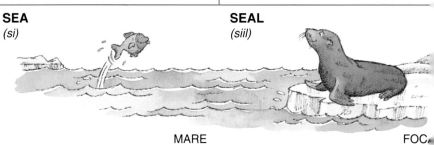

MARE

FOC

SEASONS STAGIONI
(siznz)

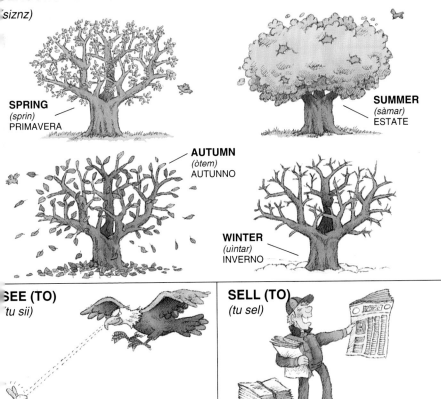

SPRING
(sprin)
PRIMAVERA

SUMMER
(sàmar)
ESTATE

AUTUMN
(òtem)
AUTUNNO

WINTER
(uìntar)
INVERNO

SEE (TO)
(tu sii)

VEDERE

SELL (TO)
(tu sel)

VENDERE

SEND (TO) *(tu send)* SPEDIRE

SHAMPOO *(scempùu)*

SHAMPOO

SHAPES FORME GEOMETRICHE

(scéips)

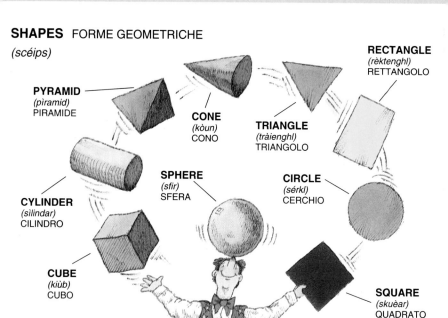

PYRAMID
(pìramid)
PIRAMIDE

CONE
(kòun)
CONO

TRIANGLE
(tràienghl)
TRIANGOLO

RECTANGLE
(rèktenghl)
RETTANGOLO

CYLINDER
(sìlindar)
CILINDRO

SPHERE
(sfir)
SFERA

CIRCLE
(sérkl)
CERCHIO

CUBE
(kiùb)
CUBO

SQUARE
(skuèar)
QUADRATO

SHARK
(sciàrk)

SQUALO

SHAVE (TO)
(tu scéiv)

RADERSI

SHELL
(scél)

CONCHIGLIA

SHIP
(scip)

NAVE

SHOP *(sciòp)*
NEGOZIO

SHORT *(sciòrt)*
CORTO

SHORT
(sciòrt)

BASSO

SHOUT (TO)
(tu sciàut)

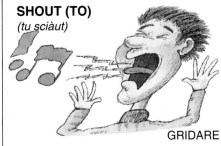

GRIDARE

SICK *(sik)*
MALATO

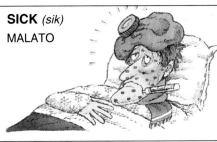

SHOWER
(sciàuar)   DOCCIA

SIGN
(sàin)

SIDEWALK
(saìduok)   MARCIAPIEDE

CARTELLO

SIT DOWN (TO)
(tu sit dàun)

SEDERSI

SKATE (TO)
(tu skéit)

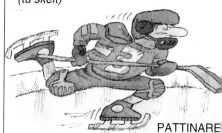

PATTINARE

SKIN *(skin)*
PELLE

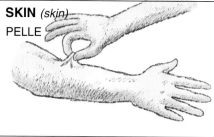

SKY
(skài)

CIELO

SKYSCRAPER
(skàiskréipar)

GRATTACIELO

SLEEP (TO)
(tu sliip)

DORMIRE

SLEIGH
(sléi)

SLITTA

SLOW
(slòu)

LENTO

100

SMALL
(smol)
PICCOLO

SMART *(smart)*
INTELLIGENTE

SMELL (TO)
(tu smel)
ANNUSARE

SMOKE *(smòuk)*
FUMO

SNAIL
(snéil)
LUMACA

SNAKE *(snéik)*
SERPENTE

SNEEZE (TO)
(tu sniiz)
STARNUTIRE

SNOW
(snòu)
NEVE

SO
(sòu)

COSÌ

SOAP
(sòup)

SAPONE

SOFT
(soft)

MORBIDO

SONG
(son)

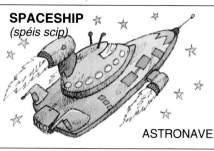

CANZONE

SORRY!
(sòri)

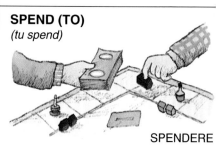

SCUSA!

SPACESHIP
(spéis scip)

ASTRONAVE

SPEAK (TO)
(tu spiik)

PARLARE

SPEND (TO)
(tu spend)

SPENDERE

SPICES & HERBS SPEZIE & ERBE
(spàisiz en erbz)

BASIL
(béisl)
BASILICO

GARLIC
(gàrlik)
AGLIO

MINT
(mint)
MENTA

OREGANO
(orèghenou)
ORIGANO

PARSLEY
(pàrsli)
PREZZEMOLO

THYME
(tàim)
TIMO

PEPPER
(pèpar) - PEPE

ROSEMARY
(ròuzmeri) - ROSMARINO

SAGE
(séig) - SALVIA

SALT
(solt) - SALE

SPIDER
(spàidar)

RAGNO

SPIN (TO)
(tu spin)

TESSERE

SPINE
(spain)

COLONNA VERTEBRALE

SPOON
(spuun)

CUCCHIAIO

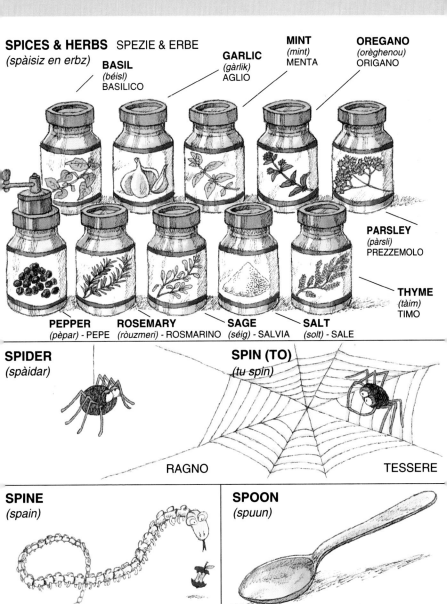

103

SPORTS SPORT
(sports)

ARCHERY
(àrtcheri)
TIRO CON L'ARCO

AMERICAN FOOTBALL
(emèriken futbol)
FOOTBALL AMERICANO

BASEBALL
(béisbol)
BASEBALL

CRICKET
(krìkit)
CRICKET

CYCLING
(sàiklin)
CICLISMO

BASKETBALL *(bàskitbol)*
PALLACANESTRO

GYMNASTICS
(gimnéstiks)
GINNASTICA

RIDING
(ràidin)
EQUITAZIONE

ICE SKATING
(àiskéitin)
PATTINAGGIO SUL GIACCIO

ICE HOCKEY
(àis hoki)
HOCKEY
SU GHIACCIO

RUNNING
(ràanin)
CORSA

RUGBY
(ràgbi)
RUGBY

SAILING
(séilin)
VELA

SOCCER / FOOTBALL
(sòkar/futbol)
CALCIO

SKIING
(skìin)
SCI

VOLLEYBALL
(vòlibol)
PALLAVOLO

SURFING
(sèrfin)
SURF

TENNIS
(ténis)
TENNIS

SWIMMING
(suìmin)
NUOTO

WEIGHT LIFTING
(uéitliftin)
PESI

SQUARE
(skuèar)

PIAZZA

SQUIRREL
(skuìrel)

SCOIATTOLO

STAMP
(stèmp)

FRANCOBOLLO

STAR
(star)

STELLA

STATION STAZIONE
(stéiscen)

WAITING ROOM
(uéitinrum)
SALA D'ATTESA

STATIONMASTER
(stéiscenmàster)
CAPOSTAZIONE

TICKETS

ARRIVALS DEPARTURES

TRAIN
(tréin)
TRENO

**CONDUCTOR/
TICKET COLLECTOR**
(kendàktar/tìkitkelèkter)
CONTROLLORE

TICKET WINDOW
(tìkituìndou)
BIGLIETTERIA

TIMETABLE
(tàimtéibl)
TABELLONE
ORARIO

PORTER
(pòrtar)
FACCHINO

LUGGAGE

TRACK / PLATFORM
(trek/plètform)
BINARIO

CHECKROOM
(cèkrum)
DEPOSITO BAGAGLI

STICK
(stik)

BASTONE

STOP (TO)
(tu stop)

FERMARE

STREET
(striit)

STRADA

STRONG *(stron)*
FORTE

STUDENT *(stiùdent)*
STUDENTE

STUDY (TO)
(tu stàdi)
STUDIARE

SUBMARINE
(sabmerìn)

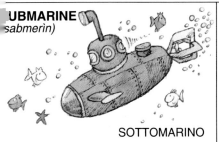

SOTTOMARINO

SUITCASE
(sùtkeis)

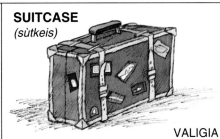

VALIGIA

107

SUN
(san)

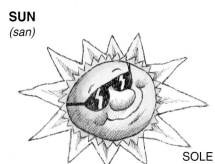

SOLE

SUNRISE / SUNSET
(sànraiz/sànset)

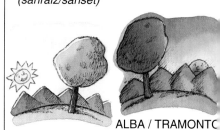

ALBA / TRAMONTO

SUPERMARKET
(sùpermarkit)

SUPERMERCATO

SURNAME
(sèrneim)

COGNOME

SURPRISE
(sepràis)

SORPRESA

SWEET
(suìt)

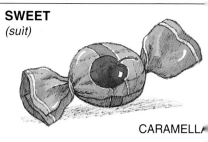

CARAMELLA

SWIM (TO)
(tu suìm)

SWIMMING POOL *(suìminpul)*

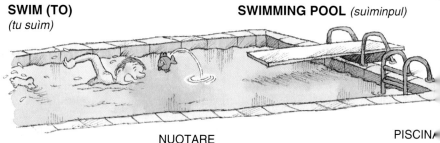

NUOTARE

PISCINA

T

T-SHIRT
(tìscert)

MAGLIETTA

[T]ABLE
([t]éibl)

TAVOLO

TABLECLOTH
(téiblkloth)

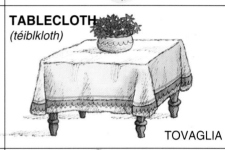

TOVAGLIA

[T]AIL
([t]éil)

CODA

TAKE (TO)
(tu téik)

PORTARE

[T]AKE (TO)
([t]u téik)

PRENDERE

TALL
(tol)

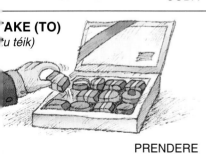

ALTO

TAXI
(tèksi)

TAXI

TELEPHONE / FAX
(tèlifoun/feks)

TELEFONO / TELEFA

TELEVISION SET *(tèlevisgion sèt)*

TELEVISORE

TELEX
(tèleks)

TELE

TELL (TO)
(tu tél)

RACCONTARE

TEMPERATURE
(tèmpricciar)

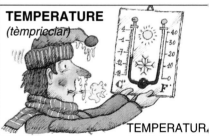

TEMPERATUR

TENNIS COURT *(ténis kort)*

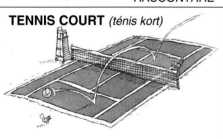

CAMPO DA TENNIS

THANK YOU
(thènkiu)

GRAZI

110

THAT
(dhèt)

QUELLO

THE
(dhe)

IL / LO / LA / I / GLI / LE

HEATRE
(hìetar)

TEATRO

THEN
(dhen)

POI

THERE
(dhèr)

LÀ / LÌ

THESE
(dhiiz)

QUESTI

HIN
(hin)

MAGRO

THINK (TO)
(tu think)

PENSARE

THIRSTY (TO BE)
(tu bi thersti)

SETE (AVERE)

THIS
(dhis)

QUESTO

THOSE
(dhòuz)

QUELLI

THROAT
(thròut)

GOLA

THUMB
(tham)

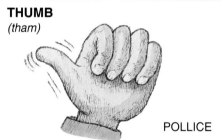

POLLICE

TIME
(tàim)

TEMPO

TIRED
(tàied)

STANCO

TODAY
(tudéi)

OGGI

TOGETHER
(tughèdhar)

INSIEME

TOMORROW
(tumòrou)

DOMANI

TONGUE
(tan)

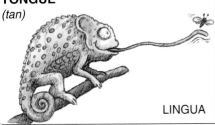

LINGUA

TOOTH (-PASTE / -BRUSH)
(tùth; -peist/-brash)

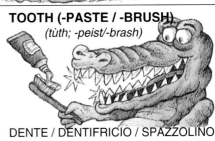

DENTE / DENTIFRICIO / SPAZZOLINO

TORTOISE
(tòrtes)

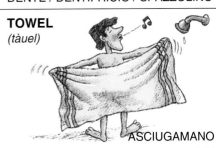

TARTARUGA

TOWEL
(tàuel)

ASCIUGAMANO

TOWN
(tàun)

CITTADINA

TOY
(tòi)

GIOCATTOLO

TRAFFIC LIGHT
(trèfic làit)

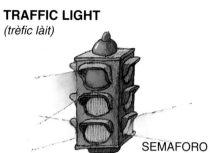

SEMAFORO

TRAIL
(tréil)

SENTIERO

TRAVEL (TO)
(tu trevl)

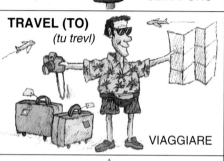

VIAGGIARE

TREASURE
(trègiar)

TESORO

TREE
(tri)

ALBERO

TURKEY
(terki)

TACCHINO

TWINS
(tuìns)

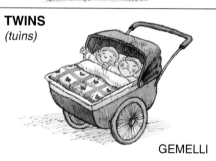

GEMELLI

TYPEWRITER
(tàipràiter)

MACCHINA
DA SCRIVERE

U

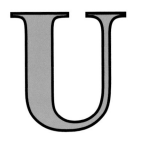

UGLY
(àghli)

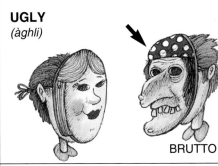

BRUTTO

UMBRELLA
(ambrèla)

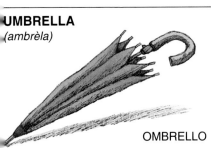

OMBRELLO

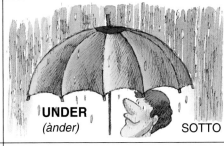

UNDER
(ànder)

SOTTO

UNDERSTAND (TO)
(tu andestènd)

CAPIRE

UNHAPPY *(anhèpi)*

INFELICE

UNIVERSITY
(iùnivèrsiti)

UNIVERSITÀ

UP
(ap)

SU

V

VACANCY *(véikensi)*
CAMERA DISPONIBILE

VACATION
(vekéiscen)

VACANZA

VACUUM CLEANER
(vèkiumklinar)

ASPIRAPOLVERE

VALENTINE'S DAY
(vèlentainsdéi)

SAN VALENTINO

VALLEY *(vèli)*

VALLE

VAMPIRE
(vèmpair)

VAMPIRO

VASE
(véiz)

VASO

116

VEGETABLES VERDURA
(vègitblz)

ARTICHOKE
(àrticiouk)
CARCIOFO

BELL PEPPER
(belpèpar)
PEPERONE

BROCCOLI
(bròkeli)
BROCCOLI

CARROT
(kèrot)
CAROTA

CELERY
(sèleri)
SEDANO

CORN
(korn)
MAIS

BEANS
(biinz)
FAGIOLI

CUCUMBER
(kiùkambar)
CETRIOLO

MUSHROOM
(màshrum)
FUNGO

EGGPLANT / AUBERGINE
(ègplant/obergìn)
MELANZANA

ONION
(ànion)
CIPOLLA

LETTUCE
(lètis)
LATTUGA

PEAS
(piiz)
PISELLI

POTATO
(petéitou)
PATATA

TOMATO
(temàto)
POMODORO

PUMPKIN
(pàmpkin)
ZUCCA

ZUCCHINI
(zukìni)
ZUCCHINA

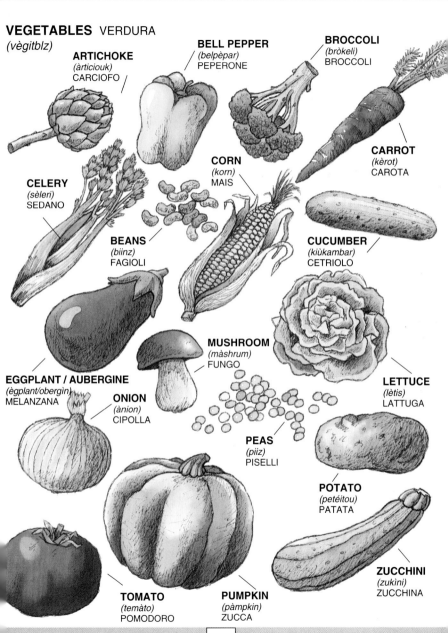

VERY
(véri)

MOLTO

VICTORY
(vìktori)

VITTORIA

VIEW
(viù)

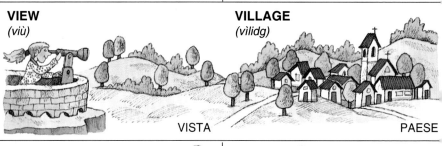

VISTA

VILLAGE
(vìlidg)

PAESE

VISA *(vìsa)*

VISTO

VOICE
(vòis)

VOCE

VOLCANO
(volkéinou)

VULCANO

VOTE (TO) *(tu vòut)*

VOTARE

118

W

WAIST
(uéist)

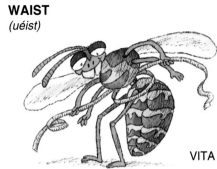

VITA

WAIT FOR (TO)
(tu uéit for)

ASPETTARE

WAKE UP (TO)
(tu uéik ap)

SVEGLIARSI

WALK (TO)
(tu uòk)

CAMMINARE

WALL
(uòl)

MURO

WANT (TO)
(tu uònt)

VOLERE

WARM (TO)
(tu uòrm)

SCALDARE

119

WASH (TO)
(tu uòsh)

LAVARE

WASHING MACHINE
(uòscinmescìn)

LAVATRICE

WATCH
(uòtch)

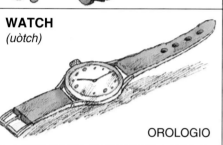

OROLOGIO

WATER
(uòtar)

ACQUA

WAVE *(uéiv)*
ONDA

WEAPON
(uèpen)

ARMA

WEAR (TO)
(tu uèar)

INDOSSARE

WEATHER *(uèdhar)*

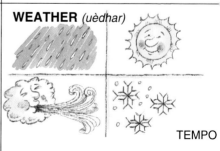

TEMPO

WELCOME
(uèlkem)

BENVENUTO

WELL
(uèl)

BENE

WET
(uèt)

BAGNATO

WHAT IS IT?
(uòt iz it)

CHE COS'È?

WHEEL
(huìl)
RUOTA

WHEN?
(uén)

QUANDO?

WHERE?
(uèar)

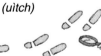

DOVE?

WHICH?
(uìtch)

QUALE?

122

WHO?
(hu)

CHI?

WHY? / BECAUSE
(uài/bikòz)

PERCHÉ? / PERCHÉ

WIN (TO) / LOSE (TO) *(tu uìn/tu luz)*

VINCERE / PERDERE

WIND *(uìnd)*

VENTO

WINDOW
(uìndou)

FINESTRA

WITH *(uìdh)*

CON

WITHOUT
(uidhàut)

SENZA

WOLF
(ulf)

LUPO

WOMAN
(ùmen)

DONNA

WOOD
(ud)

BOSCO

WOOD
(ud)

LEGNA / LEGNO

WOOL
(ul)

LANA

WORD
(uérd)

PAROLA

WORK (TO)
(tu uérk)

LAVORARE

WORLD
(uérld)

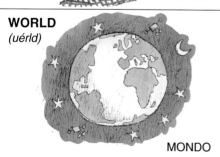

MONDO

WRITE (TO)
(tu ràit)

SCRIVERE

X

XYLOPHONE
(zàilefòun)

KILOFONO

X-RAY
(èksrei)

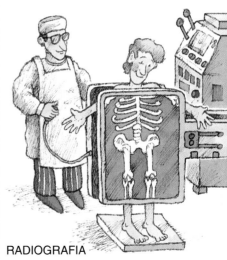

RADIOGRAFIA

Y

YES
(iès)

SÌ

YESTERDAY
(ièstedei)

IERI

YOUNG
(iàn)

GIOVANE

Z

ZEBRA CROSSING
(zìbrakròsin)

STRISCE PEDONAL

ZERO
(zìrou)

ZERO

ZIGZAG
(zigzag)

ZIGZAG

ZIPPER
(zìpar)

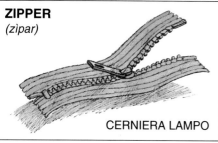

CERNIERA LAMPO

ZODIAC
(zòudiek)

ZODIACC

ZOO
(zu)

ZOO

126

Italiano	Inglese	Pronuncia	Pag.

A

Italiano	Inglese	Pronuncia	Pag.
A	AT	(et)	14
ABITARE	LIVE (TO)	(tu liv)	67
ACCANTO	BESIDE	(bisàid)	17
ACCELERATORE	ACCELERATOR	(eksèlereiter)	25
ACCENSIONE	IGNITION SWITCH	(ighnèscen suìtch)	25
ACCESO	ON	(on)	81
ACQUA	WATER	(uòtar)	37, 120
ADDORMENTATO	ASLEEP	(eslìip)	14
ADESSO	NOW	(nau)	79
ADULTO	ADULT	(èdalt)	8
AEROPLANO	AIRPLANE	(èareplein)	10
AEROPORTO	AIRPORT	(èaport)	9, 10
AGGIUNGERE	ADD (TO)	(tu èd)	7
AGLIO	GARLIC	(gàrlik)	103
AGNELLO	LAMB	(lem)	37
AGO	NEEDLE	(nidl)	78
AGOSTO	AUGUST	(òghest)	72
AGRICOLTORE	FARMER	(fàrmar)	86/87
AIUTO	HELP	(help)	57
ALA	WING	(uìn)	10
ALBA	SUNRISE	(sànraiz)	35, 108
ALBERGO	HOTEL	(houtèl)	58
ALBERO	TREE	(tri)	114
ALBICOCCA	APRICOT	(éiprikot)	49
ALIMENTARI	GROCERIES	(gròuseris)	54
ALTO	HIGH	(hài)	57
ALTO	TALL	(tol)	109
ALUNNO	PUPIL	(piùpl)	88
ALZARSI	GET UP (TO)	(tu ghètap)	51
AMICO	FRIEND	(frend)	48
AMORE	LOVE	(lav)	68
ANANAS	PINEAPPLE	(pàinepl)	49
ANATRA	DUCK	(dak)	39
ANCA	HIP	(hip)	20
ANCHE	ALSO	(òlsou)	11
ANDARE	GO (TO)	(tu gòu)	52
ANELLO	RING	(rin)	93
ANGURIA	WATERMELON	(uòtamelen)	49
ANIMALI	ANIMALS	(ènimls)	12/13
ANNUSARE	SMELL (TO)	(tu smel)	101

Italiano	Inglese	Pronuncia	Pag.
ANTENNA	ANTENNA	(entèna)	25, 59
ANTIPASTO	APPETIZER	(épitaizar)	37
APE	BEE	(bii)	17
APERITIVO	APERITIF	(aperitìf)	37
APERTO	OPEN	(òupen)	82
APPENDERE	HANG (TO)	(tu hen)	55
APPENDIABITI	COAT TREE	(kòuttri)	59
APRILE	APRIL	(éipril)	72
AQUILA	EAGLE	(ighl)	40
ARANCIA	ORANGE	(òrindg)	49
ARANCIO	ORANGE	(òrindg)	31
ARCOBALENO	RAINBOW	(réinbou)	91
ARIA	AIR	(èar)	8
ARIA CONDIZIONATA	AIR CONDITIONING	(èarkendiscionin)	25
ARMA	WEAPON	(uèpen)	120
ARMADIO	CUPBOARD	(kàbed)	33
ARMADIO	CLOSET / CUPBOARD	(klòzet/kàbed)	59
ARMONICA	HARMONICA	(harmònika)	74
ARPA	HARP	(harp)	74
ARRABBIATO	ANGRY	(èngri)	11
ARRIVI	ARRIVALS	(eràivlz)	9
ARROSSIRE	BLUSH (TO)	(tu blash)	19
ARROSTO	ROAST BEEF	(ròustbif)	37
ARROSTO DI VITELLO	VEAL ROAST	(vilròust)	37
ASCENSORE	ELEVATOR	(èlivéitar)	41
ASCENSORE	LIFT	(lift)	67
ASCIUGAMANO	TOWEL	(tàuel)	113
ASCOLTARE	LISTEN (TO)	(tu lisn)	67
ASINO	DONKEY	(dònki)	12/13
ASPETTARE	WAIT FOR (TO)	(tu uéit for)	119
ASPIRAPOLVERE	VACUUM CLEANER	(vèkiumklinar)	116
ASSEGNO	CHECK	(cek)	27
ASSENTE	ABSENT	(èbsent)	7
ASSISTENTE DI VOLO	FLIGHT ATTENDANT	(flàit atènden)	10
ASTRONAUTA	ASTRONAUT	(èstronot)	14
ASTRONAVE	SPACESHIP	(spéis scip)	102
ATTORE	ACTOR	(èktor)	86/87
ATTRAVERSARE	CROSS (TO)	(tu kros)	33
ATTRAVERSO	ACROSS	(ekròs)	7
AULA	CLASSROOM	(klàsrum)	28
AUSTRALIA	AUSTRALIA	(ostrélia)	76/77
AUSTRIA	AUSTRIA	(òstria)	76/77
AUTOBUS	BUS	(bas)	23
AUTOMOBILE	CAR	(kar)	25
AUTORADIO	RADIO	(réidiou)	25

Italiano	Inglese	Pronuncia	Pag.
AUTOSTOP	HITCHHIKING	(hitchhàikin)	58
AUTOSTRADA	HIGHWAY	(hàiuei)	57
AUTUNNO	AUTUMN	(òtem)	97
AVERE	HAVE (TO)	(tu hèv)	56
AVVENTURA	ADVENTURE	(edvènciar)	8
AZZURRO	BLUE	(blu)	31

Italiano	Inglese	Pronuncia	Pag.
BABBO NATALE	FATHER CHRISTMAS	(fàdhekrìsmes)	45
BACIO	KISS	(kis)	64
BAGAGLIAIO	TRUNK / BOOT	(trank/buut)	25
BAGAGLIO A MANO	CARRY-ON LUGGAGE	(kèrionlàghidg)	9
BAGNATO	WET	(uèt)	122
BAGNO	BATHROOM	(bàthrum)	59
BAGNO (FARE IL)	BATH (TO TAKE A)	(tu téik ebàth)	16
BALCONE	BALCONY	(bèlkeni)	59
BALENA	WHALE	(uéil)	12/13
BALLARE	DANCE (TO)	(tu dans)	34
BAMBINO	BABY	(béibi)	44
BAMBINO / BAMBINI	CHILD / CHILDREN	(ciàild/cìldren)	28
BAMBOLA	DOLL	(dol)	38
BANANA	BANANA	(benàna)	49
BANCA	BANK	(bènk)	15
BANCO	THWART	(thuòt)	19
BANDIERA	FLAG	(flèg)	46
BANDIERE	FLAGS	(flègs)	76/77
BARBA	BEARD	(bìed)	16
BARBIERE	BARBER	(barber)	86/87
BARCA	BOAT	(bòut)	19
BARRA DEL TIMONE	TILLER	(tìler)	19
BASEBALL	BASEBALL	(béisbol)	104/105
BASILICO	BASIL	(béisl)	103
BASSO	SHORT	(sciòrt)	99
BASSOTUBA	TUBA	(tiùba)	74
BASTONE	STICK	(stik)	107
BATTERIA	DRUMS	(dramz)	74
BAULE	TRUNK	(trank)	59
BELGIO	BELGIUM	(bèlgium)	76/77
BELLO	BEAUTIFUL	(biùtiful)	16
BELLO	HANDSOME	(hènsam)	55
BENE	WELL	(uèl)	122

Italiano	Inglese	Pronuncia	Pag.
BENVENUTO	WELCOME	(uèlkem)	122
BENZINA	GASOLINE	(ghèsolin)	50
BERE	DRINK (TO)	(tu drink)	39
BERRETTO	CAP	(kèp)	29
BIANCO	WHITE	(uàit)	31
BIBITA	SOFT DRINK	(soft drink)	68
BIBLIOTECA	LIBRARY	(làibreri)	59
BICCHIERE	GLASS	(glas)	52
BICICLETTA	BICYCLE	(bàisikl)	18
BIGLIETTERIA	TICKET WINDOW	(tìkituìndou)	106
BILANCIA	SCALE	(skéil)	96
BINARIO	TRACK / PLATFORM	(trek/plètform)	106
BIONDO	BLOND	(blond)	19
BISCOTTO	BISCUIT	(bìskit)	22
BISCOTTO	COOKIE	(kùki)	68
BISTECCA	STEAK	(stéik)	37
BOCCA	MOUTH	(màuth)	20
BORSA	BAG	(bèg)	15
BORSA	PURSE	(pèrs)	29
BOSCO	WOOD	(ud)	124
BOTTIGLIA	BOTTLE	(botl)	21
BOTTONE	BUTTON	(batn)	23
BRACCIO	ARM	(arm)	20
BRASILE	BRAZIL	(brazìl)	76/77
BRIOCHE	CROISSANT	(kruàson)	22
BROCCOLI	BROCCOLI	(bròkeli)	117
BRUCIARE	BURN (TO)	(tu bern)	23
BRUCO	CATERPILLAR	(kètepilar)	26
BRUTTO	UGLY	(àghli)	115
BUCO	HOLE	(hòul)	58
BUGIA	LIE	(lài)	66
BUIO	DARK	(dark)	34
BUONO	GOOD	(gud)	53
BURRO	BUTTER	(bàtar)	22
BUSSARE	KNOCK (TO)	(tu nok)	64
BUSTA	ENVELOPE	(ènviloup)	42

CABINA	FLIGHT DECK	(flàit dek)	10
CACCIAGIONE	GAME	(ghéim)	37
CACCIATORE	HUNTER	(hàntar)	60

Italiano	Inglese	Pronuncia	Pag.
CADERE	FALL (TO)	(tu fol)	43
CAFFÈ	COFFEE	(kòfi)	22
CALCIO	SOCCER / FOOTBALL	(sòkar/futbol)	104/105
CALCOLATRICE	CALCULATOR	(kelkiuléitar)	24
CALDO	HOT	(hot)	58
CALENDARIO	CALENDAR	(kèlendar)	24
CALENDULA	MARIGOLD	(méregòul)	47
CALMO	CALM	(kam)	24
CALORE	HEAT	(hit)	56
CALZA	SOCK	(sok)	29
CAMBIARE	CHANGE (TO)	(tu céindg)	27
CAMBIO	GEARSHIFT	(ghìarscift)	18, 25
CAMERA DA LETTO	BEDROOM	(bédrum)	59
CAMERA DISPONIBILE	VACANCY	(véikensi)	116
CAMERA PER GLI OSPITI	GUEST ROOM	(ghèstrum)	59
CAMICETTA	BLOUSE	(blàuz)	29
CAMICIA	SHIRT	(scert)	29
CAMINO	FIREPLACE	(fàiepleis)	59
CAMMINARE	WALK (TO)	(tu uòk)	119
CAMPAGNA	COUNTRY	(kàntri)	32
CAMPANELLO	BELL	(bel)	17, 18
CAMPO DA GOLF	GOLF COURSE	(golf kors)	53
CAMPO DA TENNIS	TENNIS COURT	(ténis kort)	110
CANADA	CANADA	(cànada)	76/77
CANCELLO	GATE	(ghéit)	50
CANDELA	CANDLE	(kèndl)	24
CANE	DOG	(dog)	12/13
CANGURO	KANGAROO	(kengherù)	12/13
CANTANTE	SINGER	(singar)	86/87
CANTINA	BASEMENT	(béisment)	59
CANZONE	SONG	(son)	102
CAPELLI	HAIR	(hèar)	20
CAPIRE	UNDERSTAND (TO)	(tu andestènd)	115
CAPO	BOSS	(bos)	21
CAPOSTAZIONE	STATIONMASTER	(stéiscenmàstar)	106
CAPPELLO	HAT	(hèt)	29
CAPPOTTO	COAT	(kòut)	29
CARAMELLA	SWEET	(suìt)	108
CARCIOFO	ARTICHOKE	(àrticiouk)	117
CARNE	MEAT	(mit)	37, 70
CARO	DEAR	(dìar)	36
CAROTA	CARROT	(kèrot)	117
CARRELLO	LANDING GEAR	(lèndinghìar)	10
CARTA	PAPER	(péipar)	83
CARTE	CARDS	(kardz)	26

Italiano	Inglese	Pronuncia	Pag.
CARTELLO	SIGN	(sàin)	99
CARTONI ANIMATI	CARTOONS	(kartùnz)	26
CASA	HOME	(hòum)	58
CASA	HOUSE	(hàus)	59
CASCO	HELMET	(hèlmit)	57
CASSAFORTE	SAFE	(séif)	95
CASTAGNA	CHESTNUT	(cèsnat)	27
CASTELLO	CASTLE	(kasl)	26
CATARIFRANGENTE	REFLECTOR	(riflècter)	18
CATENA	CHAIN	(céin)	18
CATTIVO	BAD	(bèd)	15
CAVALLETTA	GRASSHOPPER	(gràshopar)	53
CAVALLETTO	KICKSTAND	(kikstend)	18
CAVALLO	HORSE	(hors)	12/13
CAVIGLIA	ANKLE	(ènkl)	20
CENA	DINNER	(dìnar)	37
CENTIMETRO	CENTIMETER	(sèntimiter)	27
CENTO	ONE HUNDRED	(uànhàndred)	80
CENTRO	CENTER	(sèntar)	27
CERCHIO	CIRCLE	(sérkl)	98
CEREALI	CEREAL	(sìriel)	22
CERNIERA LAMPO	ZIPPER	(zìpar)	126
CERVELLO	BRAIN	(bréin)	21
CESTO	BASKET	(bàskit)	16
CETRIOLO	CUCUMBER	(kiùkambar)	117
CHE COS'È?	WHAT IS IT?	(uòt iz it)	122
CHECK-IN	CHECK-IN	(cek-in)	9
CHI?	WHO?	(hu)	123
CHIAMARE	CALL (TO)	(tu kol)	24
CHIAVE	KEY	(ki)	64
CHIEDERE	ASK (TO)	(tu ask)	14
CHIESA	CHURCH	(certch)	28
CHIODO	NAIL	(néil)	75
CHITARRA	GUITAR	(ghitàr)	54
CHITARRA ELETTRICA	ELECTRIC GUITAR	(elèktrik ghitàr)	74
CHIUSO	CLOSED	(klòuzd)	82
CIAO	HELLO / GOODBYE	(halòu/gùdbai)	57
CIBO	FOOD	(fud)	48
CICLISMO	CYCLING	(sàiklin)	104/105
CIELO	SKY	(skài)	100
CILIEGIA	CHERRY	(cèri)	49
CILINDRO	CYLINDER	(sìlindar)	98
CINA	CHINA	(ciàina)	76/77
CINEMA	CINEMA	(sìnema)	28
CINQUE	FIVE	(fàiv)	80

Italiano	Inglese	Pronuncia	Pag.
CINTURA	BELT	(belt)	29
CINTURA DI SICUREZZA	SEATBELT	(siitbelt)	25
CIOCCOLATO	CHOCOLATE	(ciòklet)	28
CIPOLLA	ONION	(ànion)	117
CIRCO	CIRCUS	(serkes)	28
CITTÀ	CITY	(sìti)	28
CITTADINA	TOWN	(tàun)	113
CLACSON	HORN	(horn)	25
CLIENTE	CUSTOMER	(kàstemr)	33
COCCINELLA	LADYBIRD	(léidiberd)	65
CODA	QUEUE	(kiù)	90
CODA	TAIL	(téil)	10, 109
COFANO	HOOD / BONNET	(hud/bònet)	25
COGNOME	SURNAME	(sèrneim)	108
COLAZIONE	BREAKFAST	(brèkfest)	22
COLLANT	STOCKINGS	(stòkinz)	29
COLLEGE	COLLEGE	(kòledg)	30
COLLO	NECK	(nék)	20
COLONNA VERTEBRALE	SPINE	(spain)	103
COLORI	COLORS	(kàlez)	31
COLTELLO	KNIFE	(nàif)	64
COME	HOW	(hàu)	60
COME STA?	HOW DO YOU DO?	(hàu du iù du)	60
COME STAI?	HOW ARE YOU?	(hàu ar iù)	60
COMIGNOLO	CHIMNEY	(cìmni)	59
COMPLEANNO	BIRTHDAY	(bérthdéi)	18
COMPRARE	BUY (TO)	(tu bài)	23
COMPUTER	COMPUTER	(kompiùter)	31
COMUNQUE	HOWEVER	(hauèvar)	60
CON	WITH	(uìdh)	123
CONCERTO	CONCERT	(kònsert)	32
CONCHIGLIA	SHELL	(scél)	98
CONGRATULAZIONI!	CONGRATULATIONS!	(kengrètiuléiscenz)	32
CONIGLIO	RABBIT	(rèbit)	12/13
CONO	CONE	(kòun)	98
CONSEGNARE	DELIVER (TO)	(tu dilìver)	36
CONTANTI	CASH	(kèsh)	26
CONTARE	COUNT (TO)	(tu kàunt)	32
CONTRABBASSO	BASS	(béis)	74
CONTRO	AGAINST	(eghénst)	8
CONTROLLO DI SICUREZZA	SECURITY CHECK	(sekiùriticek)	9
CONTROLLO PASSAPORTI	PASSPORT CONTROL	(pàsport kentròul)	9
CONTROLLORE	CONDUCTOR/ TICKET COLLECTOR	(kendàktar/ tìkitkelèkter)	106
CONVERSAZIONE	CONVERSATION	(konverséiscen)	32

Italiano	Inglese	Pronuncia	Pag.
COPERTA	BLANKET	(blènkit)	18
COPIARE	COPY (TO)	(tu copi)	32
COPPA	HUBCAP	(habkèp)	25
CORDA	ROPE	(ròup)	94
CORPO	BODY	(bòdi)	20
CORRERE	RUN (TO)	(tu ran)	94
CORRERE A	RUN TO (TO)	(tu ran tu)	94
CORRERE DI QUA E DI LÀ	RUN AROUND (TO)	(tu ran araund)	94
CORSA	RACE	(réis)	91
CORSA	RUNNING	(rànin)	104/105
CORTILE	YARD	(iàd)	59
CORTO	SHORT	(sciòrt)	99
COSCIA	THIGH	(thài)	20
COSÌ	SO	(sòu)	102
COSTRUIRE	BUILD (TO)	(tu bild)	23
COSTUME	COSTUME	(kòstium)	32
COWBOY	COWBOY	(kàuboi)	33
CRAVATTA	TIE	(tai)	29
CREARE	MAKE (TO)	(tu méik)	69
CREPA	CRACK	(krek)	33
CRESCERE	GROW (TO)	(tu gròu)	54
CRICKET	CRICKET	(krìkit)	104/105
CROSTATA	PIE	(pài)	37
CRUSCOTTO	DASHBOARD	(dèshbord)	25
CUBO	CUBE	(kiùb)	98
CUCCHIAIO	SPOON	(spuun)	103
CUCINA	KITCHEN	(kìccin)	59
CUCINARE	COOK (TO)	(tu kuk)	32
CUGINI	COUSINS	(kaznz)	44
CUOCO	COOK	(kuk)	86/87
CUORE	HEART	(hart)	56
CURA (AVER ... DI)	CARE (TO TAKE ... OF)	(tu téik kèar ov)	26
CUSCINO	PILLOW	(pìlou)	59

DA	FROM	(from)	48
DANIMARCA	DENMARK	(dènmark)	76/77
DANNEGGIARE	DAMAGE (TO)	(tu dèmedg)	34
DARE	GIVE (TO)	(tu ghiv)	52
DATA	DATE	(déit)	34
DATTERO	DATE	(déit)	49

Italiano	Inglese	Pronuncia	Pag.
DAVANTI A	IN FRONT OF	(in frant ov)	62
DECIDERE	DECIDE (TO)	(tu disàid)	36
DECIMO	TENTH	(ténth)	80
DELFINO	DOLPHIN	(dòlfin)	38
DELICATAMENTE	GENTLY	(gèntli)	50
DENTE	TOOTH	(tuth)	113
DENTIFRICIO	TOOTHPASTE	(tùthpeist)	113
DENTISTA	DENTIST	(dèntist)	86/87
DENTRO	IN	(in)	61
DENTRO	INSIDE	(insàid)	62
DEPOSITO BAGAGLI	CHECKROOM	(cèkrum)	106
DESERTO	DESERT	(dèzert)	36
DESTRA	RIGHT	(ràit)	93
DI	OF	(ov)	81
DICEMBRE	DECEMBER	(disèmbar)	72
DIECI	TEN	(tén)	80
DIETRO	BEHIND	(bihàind)	17
DIFFICILE	DIFFICULT	(dìficolt)	36
DIMENTICARE	FORGET (TO)	(tu forghèt)	48
DINAMO	DYNAMO	(dàinamo)	18
DINOSAURO	DINOSAUR	(dàinesor)	38
DIRE	SAY (TO)	(tu séi)	96
DIRETTORE D'ORCHESTRA	MUSIC CONDUCTOR	(miùzik kendàktar)	86/87
DIREZIONE	DIRECTION	(dirèkscen)	38
DISCO	RECORD	(rèkord)	91
DISCUTERE	DISCUSS (TO)	(tu diskàs)	38
DISEGNO	DRAWING	(dròin)	39
DISORDINE	MESS	(més)	71
DITO	FINGER	(fingar)	20
DITO DEL PIEDE	TOE	(tòu)	20
DIVANO	SOFA	(sòufa)	59
DIVENTARE	BECOME (TO)	(tu bikàm)	16
DIVERSO	DIFFERENT	(dìfrent)	36
DOCCIA	SHOWER	(sciàuar)	99
DOGANA	CUSTOMS	(kàstemz)	9
DOLCE	DESSERT	(dizèrt)	37
DOMANDA	QUESTION	(kuèstcien)	89
DOMANI	TOMORROW	(tumòrou)	113
DOMENICA	SUNDAY	(sàndi)	121
DONNA	WOMAN	(ùmen)	124
DOPO	AFTER	(àfter)	8
DORMIRE	SLEEP (TO)	(tu sliip)	100
DOVE?	WHERE?	(uèar)	122
DUE	TWO	(tu)	80
DURO	HARD	(hard)	55

Italiano	Inglese	Pronuncia	Pag.

E

Italiano	Inglese	Pronuncia	Pag.
E	AND	(ènd)	11
ECO	ECHO	(èkou)	41
EGITTO	EGYPT	(ìgipt)	76/77
ELEFANTE	ELEPHANT	(élifant)	12/13
ELEGANTE	ELEGANT	(élighent)	41
ELETTRICITÀ	ELECTRICITY	(elektrìsiti)	41
ELICA	PROPELLER	(propèller)	19
ELICOTTERO	HELICOPTER	(hèlikoptar)	57
ENTRARE	GET IN (TO)	(tu ghètin)	51
ENTRARE	GO IN (TO)	(tu gòu in)	52
ENTRATA	ENTRANCE	(èntrens)	41
EQUITAZIONE	RIDING	(ràidin)	104/105
ERBA	GRASS	(gras)	53
ERBE	HERBS	(erbz)	103
ERRORE	MISTAKE	(mistéik)	71
ESAME	EXAM	(igzèm)	42
ESERCIZIO	EXERCISE	(èksesaiz)	42
ESSERE	BE (TO)	(tu bi)	16
EST	EAST	(ist)	79
ESTATE	SUMMER	(sàmar)	97
ETÀ	AGE	(éidg)	8

F

Italiano	Inglese	Pronuncia	Pag.
FABBRICA	FACTORY	(fèkteri)	43
FACCHINO	PORTER	(pòrtar)	106
FACCIA	FACE	(féis)	43
FACILE	EASY	(ìzi)	40
FAGIOLI	BEANS	(biinz)	117
FALEGNAME	CARPENTER	(kàrpintar)	86/87
FALSO	FALSE	(fols)	43
FAME (AVERE)	HUNGRY (TO BE)	(tu bi hàngri)	60
FAMIGLIA	FAMILY	(fèmili)	44
FAMOSO	FAMOUS	(féimes)	45
FANALE	LIGHT	(làit)	18
FANALE ANTERIORE	HEADLIGHT	(hedlàit)	25
FANTASMA	GHOST	(gost)	51
FARE	DO (TO)	(tu du)	38

Italiano	Inglese	Pronuncia	Pag.
FARETRA	QUIVER	(kuìver)	90
FARFALLA	BUTTERFLY	(bàteflai)	23
FARMACIA	CHEMIST'S / PHARMACY	(kémists/fàrmasi)	27
FATA	FAIRY	(fèari)	43
FATTORIA	FARM	(farm)	45
FAVOLA	FABLE	(féibl)	43
FAZZOLETTO	HANDKERCHIEF	(hènkecif)	29
FEBBRAIO	FEBRUARY	(fèbrueri)	72
FELICE	HAPPY	(hèpi)	55
FEMMINA	FEMALE	(fìmeil)	46
FERMACAPELLI	BARRETTE	(barèt)	29
FERMARE	STOP (TO)	(tu stop)	107
FESTA	PARTY	(pàrti)	83
FESTEGGIARE	CELEBRATE (TO)	(tu sèlebréit)	27
FIAMMIFERO	MATCH	(mètch)	70
FIENILE	BARN	(barn)	16
FIERA	FAIR	(fèar)	43
FIGLIA	DAUGHTER	(dòtar)	44
FIGLIO	SON	(san)	44
FINE	END	(end)	41
FINESTRA	WINDOW	(uìndou)	59, 123
FINESTRINO	WINDOW	(uìndou)	25
FINIRE	FINISH (TO)	(tu finish)	46
FINIRE	RUN OUT OF (TO)	(tu ran àut ov)	94
FINLANDIA	FINLAND	(fìnlen)	76/77
FIORDALISO	CORNFLOWER	(kornflàuar)	47
FIORI	FLOWERS	(flàuarz)	47
FISARMONICA	ACCORDION	(ekòrdien)	74
FIUME	RIVER	(rìvar)	93
FLAUTO	FLUTE	(fluut)	74
FOCA	SEAL	(siil)	96
FOGLIA	LEAF	(liif)	66
FONDO	BOTTOM	(bòtom)	21
FOOTBALL AMERICANO	AMERICAN FOOTBALL	(emèriken fùtboll)	104/105
FORBICI	SCISSORS	(sìserz)	96
FORCHETTA	FORK	(fork)	48
FORESTA	FOREST	(fòrist)	48
FORMAGGIO	CHEESE	(ciiz)	37
FORME GEOMETRICHE	SHAPES	(scéips)	98
FORTE	STRONG	(stron)	107
FORTUNATO	LUCKY	(làki)	68
FOTOGRAFIA	PHOTOGRAPH	(fòutograf)	84
FRAGOLA	STRAWBERRY	(stròbri)	49
FRANCIA	FRANCE	(fràns)	76/77
FRANCOBOLLO	STAMP	(stèmp)	106

Italiano	Inglese	Pronuncia	Pag.
GINOCCHIO	KNEE	(ni)	20
GIOCARE	PLAY (TO)	(tu pléi)	84
GIOCATTOLO	TOY	(tòi)	113
GIOCO	GAME	(ghéim)	50
GIOIELLO	JEWEL	(giùel)	63
GIORNALE	NEWSPAPER	(niùzpéipar)	78
GIORNO	DAY	(déi)	35
GIOVANE	YOUNG	(iàn)	125
GIOVEDÌ	THURSDAY	(thérzdi)	121
GIRASOLE	SUNFLOWER	(sànflàuar)	47
GIÙ	DOWN	(dàun)	39
GIUDICE	JUDGE	(giàdg)	63
GIUGNO	JUNE	(giùn)	72
GIUNCHIGLIA	DAFFODIL	(dèfodil)	47
GOLA	THROAT	(thròut)	112
GOMITO	ELBOW	(élbou)	20
GOMMA	RUBBER / ERASER	(ràbar/iréiser)	94
GOMMA	TIRE	(tàiar)	18, 25
GONNA	SKIRT	(skert)	29
GORILLA	GORILLA	(gorìla)	12/13
GRAMMO	GRAM	(grem)	53
GRANDE	BIG	(big)	18
GRASSO	FAT	(fèt)	45
GRATTACIELO	SKYSCRAPER	(skàiskréipar)	100
GRAVITÀ	GRAVITY	(grèviti)	53
GRAZIE	THANK YOU	(thènkiu)	110
GRECIA	GREECE	(griis)	76/77
GRIDARE	SHOUT (TO)	(tu sciàut)	99
GRONDAIA	RAIN GUTTER	(réin gàtar)	59
GRUPPO	GROUP	(grup)	54
GUADAGNARE	EARN (TO)	(tu ern)	40
GUANTO	GLOVE	(glav)	29
GUARDARE	LOOK AT (TO)	(tu luk èt)	68
GUFO	OWL	(àul)	12/13
GUIDARE	DRIVE (TO)	(tu dràiv)	39
GUSTARE	ENJOY (TO)	(tu engiòi)	41

HAMBURGER	HAMBURGER	(hèmberga)	68
HANGAR	HANGAR	(hèngar)	10
HOCKEY SU GHIACCIO	ICE HOCKEY	(àis hoki)	104/105

Italiano	Inglese	Pronuncia	Pag.
HOT DOG	HOT DOG	(hotdog)	68

IDEA	IDEA	(aidìa)	61
IDRAULICO	PLUMBER	(plàmar)	86/87
IERI	YESTERDAY	(ièstedei)	125
IL/ LO/ LA/ I/ GLI/ LE	THE	(dhe)	111
IMBIANCHINO	PAINTER	(péintar)	86/87
IMPARARE	LEARN (TO)	(tu lern)	66
IMPORTANTE	IMPORTANT	(impòrtent)	61
INCENDIO	FIRE	(fàiar)	46
INCHIOSTRO	INK	(ink)	62
INCIDENTE	ACCIDENT	(èksident)	7
INCONTRARE	MEET (TO)	(tu mit)	71
INDIA	INDIA	(ìndia)	76/77
INDIANO	INDIAN	(indian)	62
INDICARE	POINT TO (TO)	(tu pòint tu)	85
INDICATORE DI DIREZIONE	INDICATOR	(ìndikéiter)	25
INDIRIZZO	ADDRESS	(edrès)	7
INDOSSARE	WEAR (TO)	(tu uèar)	120
INDOVINARE	GUESS (TO)	(tu ghes)	54
INFELICE	UNHAPPY	(anhèpi)	115
INFERMIERA	NURSE	(ners)	86/87
INFLUENZA	FLU	(flu)	47
INFORMAZIONE	INFORMATION	(infeméiscen)	62
INFORMAZIONI PER I VOLI	FLIGHT INFORMATION	(flàit infeméiscen)	9
INGRESSO	HALL	(hol)	59
INQUINAMENTO	POLLUTION	(polùscion)	85
INSALATA	SALAD	(sèled)	37, 68
INSEGNANTE	TEACHER	(tìcciar)	86/87
INSEGUIRE	RUN AFTER (TO)	(tu ran àfter)	94
INSIEME	TOGETHER	(tughèdhar)	113
INTELLIGENTE	SMART	(smart)	101
INTERROGARE	QUIZ (TO)	(tu kuìz)	90
INVERNO	WINTER	(uìntar)	97
INVESTIRE	RUN OVER (TO)	(tu ran òuvar)	94
IRLANDA	IRELAND	(àierlen)	76/77
ISOLA	ISLAND	(àilend)	62
ISOLATO	BLOCK	(blok)	19
ISRAELE	ISRAEL	(ìzrel)	76/77
ITALIA	ITALY	(ìteli)	76/77

Italiano	Inglese	Pronuncia	Pag.

J

JEANS	JEANS	(gìns)	29

K

KIWI	KIWI	(kìui)	49

L

LÀ / LÌ	THERE	(dhèr)	111
LABBRA	LIPS	(lips)	67
LAGO	LAKE	(léik)	65
LAMPADA	LAMP	(lèmp)	65
LAMPONE	RASPBERRY	(ràzbri)	49
LANA	WOOL	(ul)	124
LATTE	MILK	(milk)	22
LATTUGA	LETTUCE	(lètis)	117
LAVAGNA	BLACKBOARD	(blèkbord)	18
LAVARE	WASH (TO)	(tu uòsh)	120
LAVATRICE	WASHING MACHINE	(uòscinmescìn)	120
LAVORARE	WORK (TO)	(tu uérk)	124
LAVORO	JOB	(giòb)	63
LEGGERE	READ (TO)	(tu riid)	91
LEGGERO	LIGHT	(làit)	67
LEGNA / LEGNO	WOOD	(ud)	124
LENTO	SLOW	(slòu)	100
LEONE	LION	(làien)	12/13
LETTERA	LETTER	(lètar)	66
LETTO	BED	(béd)	17, 59
LEVA DEGLI INDICATORI	INDICATOR SWITCH	(indikéiter suìtch)	25
LEZIONE	LESSON	(lesn)	66
LIBRERIA	BOOKCASE	(bùkkéis)	59
LIBRO	BOOK	(buk)	21
LIME	LIME	(làim)	49
LIMONE	LEMON	(lèmen)	49
LINGUA	TONGUE	(tan)	113
LITIGARE	QUARREL (TO)	(tu kuòrel)	89

Italiano	Inglese	Pronuncia	Pag.
MARMELLATA	JAM	(gém)	22
MARRONE	BROWN	(bràun)	31
MARTEDÌ	TUESDAY	(tiùzdi)	121
MARTELLO	HAMMER	(hèmer)	55
MARZO	MARCH	(martch)	72
MASCHIO	MALE	(méil)	69
MATEMATICA	MATH	(meth)	70
MATITA	PENCIL	(pensl)	84
MATRIMONIO	MARRIAGE	(mèriedg)	70
MATTINO	MORNING	(mòrnin)	35
MEDICINA	MEDICINE	(médisin)	70
MEDICO	DOCTOR	(dòktar)	86/87
MELA	APPLE	(èpl)	49
MELAGRANA	POMEGRANATE	(pòmgrenit)	49
MELANZANA	EGGPLANT/		
	AUBERGINE	(ègplant/obergìn)	117
MELONE	MELON	(mèlen)	49
MENTA	MINT	(mint)	103
MENTO	CHIN	(cin)	20
MENU	MENU	(mèniu)	71
MERCATO	MARKET	(màrkit)	70
MERCOLEDÌ	WEDNESDAY	(uènzdi)	121
MESI	MONTHS	(manths)	72
MESSAGGIO	MESSAGE	(mèsidg)	71
MESSICO	MEXICO	(mèksiko)	76/77
METÀ	HALF	(haf)	55
MEZZANOTTE	MIDNIGHT	(mìdnait)	35
MEZZOGIORNO	NOON	(nun)	35
MILLE	ONE THOUSAND	(uànthàuzn)	80
MINESTRA	SOUP	(sup)	37
MINUTO	MINUTE	(mìnit)	71
MIRTILLI	BLUEBERRIES	(blùbriz)	49
MOGLIE	WIFE	(uàif)	44
MOLTO	VERY	(véri)	118
MONDO	WORLD	(uérld)	124
MONETA	COIN	(kòin)	30
MONTAGNA	MOUNTAIN	(màuntin)	73
MOQUETTE	CARPET	(kàrpit)	59
MORA	BLACKBERRY	(blèkbri)	49
MORBIDO	SOFT	(soft)	102
MORTO	DEAD	(ded)	36
MOTO	MOTORCYCLE	(mòutesàikl)	73
MOTOCROSS	MOTO-CROSS	(mòtekròss)	73
MOTORE	ENGINE	(èngin)	10, 25
MOTORE	MOTOR	(mòutar)	19

Italiano	Inglese	Pronuncia	Pag.
MUCCA	COW	(kàu)	12/13
MURO	WALL	(uòl)	59, 119
MUSCOLO	MUSCLE	(masl)	74
MUSEO	MUSEUM	(miuzìem)	74
MUSICISTA	MUSICIAN	(miuzìscen)	86/87
MUSO	NOSE	(nòuz)	10

NARCISO	NARCISSUS	(narsìsz)	47
NASCONDERSI	HIDE (TO)	(tu hàid)	57
NASO	NOSE	(nòuz)	20
NAVE	SHIP	(scip)	98
NAZIONE	NATION	(néiscen)	75
NAZIONI	NATIONS	(néiscenz)	76/77
NEBBIA	FOG	(fog)	47
NEGOZIO	SHOP	(sciòp)	99
NERO	BLACK	(blèk)	31
NESSUNO	NOBODY	(nòubedi)	78
NEVE	SNOW	(snòu)	101
NIENTE	NOTHING	(nàthin)	79
NIPOTE *(m)*	NEPHEW	(nèviu)	44
NIPOTE *(f)*	NIECE	(nis)	44
NIPOTI	GRANDCHILDREN	(grèncildren)	44
NO	NO	(nòu)	78
NOCE DI COCCO	COCONUT	(kòukenat)	30, 49
NOME	NAME	(néim)	75
NONNA	GRANDMOTHER	(grènmàdhar)	44
NONNI	GRANDPARENTS	(grènpèrents)	44
NONNO	GRANDFATHER	(grènfadhar)	44
NONO	NINTH	(nàinth)	80
NORD	NORTH	(north)	79
NORDEST	NORTH-EAST	(northìst)	79
NORDOVEST	NORTH-WEST	(northuèst)	79
NORVEGIA	NORWAY	(nòuruéi)	76/77
NOTTE	NIGHT	(nàit)	35
NOVE	NINE	(nàin)	80
NOVEMBRE	NOVEMBER	(nouvèmbar)	72
NUDO	BARE	(bèar)	15
NUMERI	NUMBERS	(nàmbez)	80
NUOTARE	SWIM (TO)	(tu suìm)	108
NUOTO	SWIMMING	(suìmin)	104/105

Italiano	Inglese	Pronuncia	Pag.
NUOVO	NEW	(niù)	78
NUVOLA	CLOUD	(klàud)	30

O	OR	(or)	82
OBLÒ	WINDOW	(uìndou)	10
OCCHIALI	GLASSES	(glàsiz)	52
OCCHIO	EYE	(ài)	20
OCCUPATO (ESSERE)	BUSY (TO BE)	(tu bi bìzi)	23
OCEANO	OCEAN	(òuscen)	81
OGGI	TODAY	(tudéi)	112
OGNI	EACH	(itch)	40
OLIVE	OLIVES	(òlivz)	3
OMBRELLO	UMBRELLA	(ambrèla)	115
ONDA	WAVE	(uéiv)	120
OPPOSTO	OPPOSITE	(òpezit)	82
ORDINARE	ORDER (TO)	(tu òrdar)	82
ORECCHINO	EARRING	(ìarin)	29
ORECCHIO	EAR	(ìar)	20
ORGOGLIOSO	PROUD	(pràud)	88
ORIGANO	OREGANO	(orèghenou)	103
ORO	GOLD	(gòuld)	53
OROLOGIO	WATCH	(uòtch)	120
ORSO	BEAR	(bèar)	12/13
OSPEDALE	HOSPITAL	(hòspitl)	58
OSPITE	GUEST	(ghest)	54
OSSO	BONE	(bòun)	21
OSTRICA	OYSTER	(òistar)	82
OTTAVO	EIGHTH	(éith)	80
OTTO	EIGHT	(éit)	80
OTTOBRE	OCTOBER	(oktòubar)	72
OVEST	WEST	(uèst)	79

PADRE	FATHER	(fadhar)	44
PAESAGGIO	SCENERY	(sìneri)	96
PAESE	VILLAGE	(vìlidg)	118
PAESI BASSI	NETHERLANDS	(nèdhelanz)	76/77

Italiano	Inglese	Pronuncia	Pag.
PAGINA	PAGE	(péidg)	83
PAGLIACCIO	CLOWN	(klàun)	30
PALLA	BALL	(bol)	15
PALLACANESTRO	BASKETBALL	(bàskitbol)	104/105
PALLAVOLO	VOLLEYBALL	(vòlibol)	104/105
PALLONCINO	BALLOON	(belùun)	15
PANCETTA AFFUMICATA	BACON	(béiken)	22
PANCIA	STOMACH	(stòmek)	20
PANE	BREAD	(bréd)	37
PANE TOSTATO	TOAST	(tòust)	22
PANETTERIA	BAKERY	(béikeri)	15
PANINI	ROLLS	(ròulz)	37
PANINO	SANDWICH	(sènuidg)	68
PANTALONI	PANTS / TROUSERS	(pents/tràusez)	29
PAPAVERO	POPPY	(pòpi)	47
PAPPAGALLO	PARROT	(pèrot)	83
PARABORDO	BUMPER / FENDER	(bamper/fènder)	19
PARABREZZA	WINDSHIELD/ WINDSCREEN	(uìnscil/uìnscriin)	25
PARACADUTE	PARACHUTE	(pèresciut)	83
PARADISO	HEAVEN	(hevn)	56
PARAFANGO	FENDER	(fènder)	18
PARAURTI	BUMPER	(bàmpar)	25
PARCO	PARK	(park)	83
PARENTI	RELATIVES	(rèletivs)	92
PARLARE	SPEAK (TO)	(tu spiik)	102
PAROLA	WORD	(uérd)	124
PARTENZE	DEPARTURES	(dipàrciàrz)	9
PARTIRE	LEAVE (TO)	(tu liiv)	66
PASSAPORTO	PASSPORT	(pàsport)	83
PASTA	PASTA	(pasta)	68
PASTO	MEAL	(mil)	70
PATATA	POTATO	(petéitou)	117
PATATINE FRITTE	FRENCH FRIES	(frèntchfrais)	68
PATTINAGGIO SUL GIACCIO	ICE SKATING	(àiskéitin)	104/105
PATTINARE	SKATE (TO)	(tu skéit)	100
PAURA (AVERE)	AFRAID (TO BE)	(tu bi efréid)	8
PAVIMENTO	FLOOR	(flor)	59
PECORA	SHEEP	(sciip)	12/13
PEDALE	PEDAL	(pedl)	18
PELLE	SKIN	(skin)	100
PELLICOLA	FILM	(film)	46
PENNA	FEATHER	(fèdhar)	45
PENNA	PEN	(pen)	84
PENNA D'OCA	QUILL	(kuìl)	90

Italiano	Inglese	Pronuncia	Pag.
PENSARE	THINK (TO)	(tu think)	111
PEPE	PEPPER	(pèpar)	103
PEPERONE	BELL PEPPER	(belpèpar)	117
PER PIACERE	PLEASE	(pliiz)	85
PERA	PEAR	(pèar)	49
PERCHÉ? / PERCHÉ	WHY? / BECAUSE	(uài/bikòz)	123
PERDERE	LOSE (TO)	(tu luz)	123
PERICOLO	DANGER	(déingiar)	34
PESANTE	HEAVY	(hèvi)	56
PESCA	PEACH	(pitch)	49
PESCATORE	FISHERMAN	(fiscermèn)	86/87
PESCE	FISH	(fish)	37, 46
PESI	WEIGHT LIFTING	(uéitliftin)	104/105
PETROLIO	PETROLEUM	(petròliem)	84
PETTINE	COMB	(kòum)	31
PETTO	CHEST	(cest)	20
PIACERE	LIKE (TO)	(tu làik)	67
PIANGERE	CRY (TO)	(tu krài)	33
PIANOFORTE	PIANO	(piàno)	74
PIANTINA	MAP	(mèp)	70
PIATTO	PLATE	(pléit)	84
PIAZZA	SQUARE	(skuèar)	106
PICCOLO	SMALL	(smol)	101
PIEDE	FOOT	(fut)	20
PIENO	FULL	(ful)	41
PILOTA	PILOT	(pàilet)	10
PINGUINO	PENGUIN	(pènguin)	84
PIOGGIA	RAIN	(réin)	91
PIRAMIDE	PYRAMID	(pìramid)	88, 98
PISCINA	SWIMMING POOL	(suìminpul)	108
PISELLI	PEAS	(piiz)	117
PISOLINO	NAP	(nèp)	75
PITTORE	ARTIST	(artist)	86/87
PIZZA	PIZZA	(pizza)	68
POCO	LITTLE	(litl)	67
POI	THEN	(dhen)	111
POLIZIOTTO	POLICEMAN	(pelismèn)	86/87
POLLAME	POULTRY	(pòltri)	37
POLLI	CHICKENS	(cìkenz)	12/13
POLLICE	INCH	(intch)	62
POLLICE	THUMB	(tham)	20, 112
POLLO	CHICKEN	(cìkin)	37
POLPACCIO	CALF	(kaf)	20
POLSO	WRIST	(rist)	20
POLTRONA	ARMCHAIR	(àrmcear)	14

Italiano	Inglese	Pronuncia	Pag.
POMERIGGIO	AFTERNOON	(àftenun)	35
POMODORO	TOMATO	(temàto)	117
POMPA	PUMP	(pamp)	18
POMPELMO	GRAPEFRUIT	(gréipfrut)	49
POMPIERE	FIREMAN	(faiemèn)	86/87
PONTE	BRIDGE	(bridg)	22
POPPA	STERN	(stern)	19
PORTA	DOOR	(dor)	39
PORTA PRINCIPALE	FRONT DOOR	(fràndor)	59
PORTAPACCHI	CARRIER	(kèrier)	18
PORTARE	CARRY (TO)	(tu kèri)	26
PORTARE	TAKE (TO)	(tu téik)	109
PORTIERA	DOOR	(dor)	25
PORTO	PORT	(port)	85
PORTOGALLO	PORTUGAL	(pòrtchegal)	76/77
POSTA	MAIL	(méil)	69
POSTINO	POSTMAN	(poustmèn)	86/87
POTERE	CAN	(kèn)	24, 143
PRANZO	LUNCH	(lantch)	68
PRATO	LAWN	(lon)	65
PRATOLINA	DAISY	(déizi)	47
PREFERITO	FAVORITE	(féiverit)	45
PRENDERE	CATCH (TO)	(tu kètch)	26
PRENDERE	GET (TO)	(tu ghet)	51
PRENDERE	TAKE (TO)	(tu téik)	109
PRESENTARE	INTRODUCE (TO)	(tu ìntrediùs)	62
PRESTO	EARLY	(érli)	40
PREZZEMOLO	PARSLEY	(pàrsli)	103
PRIMA	BEFORE	(bifòr)	17
PRIMAVERA	SPRING	(sprin)	97
PRIMO	FIRST	(ferst)	80
PROBLEMA	PROBLEM	(pròblem)	85
PROFESSIONI	PROFESSIONS	(prefèscionz)	86/87
PROFESSORE	PROFESSOR	(prefèsar)	88
PROMETTERE	PROMISE (TO)	(tu pròmis)	88
PROSCIUTTO	HAM	(hem)	37
PRUA	BOW	(bàu)	19
PRUGNA	PLUM	(plam)	49
PULITO	CLEAN	(kliin)	28

Italiano	Inglese	Pronuncia	Pag.

Q

QUADERNO	EXERCISE BOOK	(éksesaiz buk)	42
QUADRATO	SQUARE	(skuèar)	98
QUADRIFOGLIO	FOUR-LEAF CLOVER	(fòrlif klòuvar)	48
QUADRO	PICTURE	(pìkciar)	84
QUAGLIA	QUAIL	(kuéil)	89
QUALE?	WHICH?	(uìtch)	122
QUALITÀ	QUALITY	(kuòliti)	89
QUANDO?	WHEN?	(uén)	122
QUANTI?	HOW MANY?	(hàu mèni)	60
QUANTITÀ	QUANTITY	(kuòntiti)	89
QUANTO?	HOW MUCH?	(hàu màtch)	60
QUARTO	FOURTH	(forth)	80
QUARTO	QUARTER	(kuòrtar)	89
QUATTRO	FOUR	(for)	80
QUELLI	THOSE	(dhòuz)	112
QUELLO	THAT	(dhèt)	111
QUERCIA	OAK	(òuk)	81
QUESTI	THESE	(dhiiz)	111
QUESTO	THIS	(dhis)	112
QUI	HERE	(hìar)	57
QUINTO	FIFTH	(fith)	80
QUOTIDIANO	DAILY	(déili)	34

R

RACCONTARE	TELL (TO)	(tu tél)	110
RADAR	RADAR	(réidr)	10
RADERSI	SHAVE (TO)	(tu scéiv)	98
RADIO	RADIO	(réidiou)	91
RADIOGRAFIA	X-RAY	(èksrei)	125
RAFFREDDORE	COLD	(kòuld)	30
RAGAZZA	GIRL	(gherl)	51
RAGAZZI	CHILDREN	(cìldren)	44
RAGAZZO	BOY	(bòi)	21
RAGGI	SPOKES	(spouks)	18
RAGNO	SPIDER	(spàidar)	103
RANA	FROG	(frog)	12/13
RE	KING	(kin)	64

Italiano	Inglese	Pronuncia	Pag.
REALE	ROYAL	(ròial)	94
RECINTO	FENCE	(fens)	59
REGALO	GIFT	(ghift)	51
REGALO	PRESENT	(prèznt)	85
REGINA	QUEEN	(kuìn)	89
REGNO UNITO	UNITED KINGDOM	(iunàitd kìndom)	76/77
REMO	OAR	(or)	19
RESTO	CHANGE	(céindg)	27
RETTANGOLO	RECTANGLE	(rèktenghl)	98
RICCO	RICH	(ritch)	93
RIDERE	LAUGH (TO)	(tu laf)	65
RILASSARSI	RELAX (TO)	(tu rilàks)	92
RINOCERONTE	RHINOCEROS	(rainòseres)	92
RIPARARE	FIX (TO)	(tu fiks)	46
RIPETERE	REPEAT (TO)	(tu ripìt)	92
RIPIENO	STUFFING	(stàfin)	37
RIPOSARE	REST (TO)	(tu rest)	92
RISCALDAMENTO	HEATING	(hiitin)	25
RISO	RICE	(ràis)	92
RISPARMIARE	SAVE (TO)	(tu séiv)	95
RISPOSTA	ANSWER	(ànsar)	14
RISTORANTE	RESTAURANT	(rèsterent)	92
RITIRO BAGAGLI	BAGGAGE CLAIM	(beghidgkléim)	9
RIVISTA	MAGAZINE	(mèghezìn)	69
ROBOT	ROBOT	(roubet)	93
ROCCIA	ROCK	(rok)	93
ROMPICAPO	PUZZLE	(pàzel)	88
ROSA	PINK	(pink)	31
ROSA	ROSE	(ròuz)	47
ROSMARINO	ROSEMARY	(ròuzmeri)	103
ROSSO	RED	(réd)	31
ROTOLARE	ROLL (TO)	(tu ròul)	93
RUGBY	RUGBY	(ràgbi)	104/105
RUMORE	NOISE	(nòiz)	78
RUOTA	WHEEL	(huìl)	18, 122
RUOTA DI SCORTA	SPARE TIRE	(spèatàiar)	25
RUSSIA	RUSSIA	(ràscia)	76/77

Italiano	Inglese	Pronuncia	Pag.

S

Italiano	Inglese	Pronuncia	Pag.
SABATO	SATURDAY	(sèterdi)	121
SABBIA	SAND	(sènd)	95
SABBIE MOBILI	QUICKSAND	(kuìksend)	90
SALA DA PRANZO	DINING ROOM	(dàinin rum)	59
SALA D'ATTESA	WAITING ROOM	(uéitinrum)	106
SALE	SALT	(solt)	103
SALIRE	GET ON (TO)	(tu ghèton)	51
SALIRE	GO UP (TO)	(tu gòu ap)	52
SALSICCIA	SAUSAGE	(sòsidg)	22
SALTARE	JUMP (TO)	(tu giamp)	63
SALUTARE	GREET (TO)	(tu grìit)	53
SALVIA	SAGE	(séig)	103
SANGUE	BLOOD	(blad)	19
SANO	HEALTHY	(hèlthi)	56
SAPERE	KNOW (TO)	(tu nòu)	64
SAPONE	SOAP	(sòup)	102
SARTO	TAILOR	(téilar)	86/87
SASSOFONO	SAXOPHONE	(sèksifon)	74
SCAFO	HULL	(hal)	19
SCALA	LADDER	(lèdar)	65
SCALA	STAIRCASE	(stèakeis)	59
SCALDARE	WARM (TO)	(tu uòrm)	119
SCALETTA	PASSENGER STAIRS	(pèsengiarstèarz)	10
SCALMO	OARLOCK	(òrlok)	19
SCAPPARE	RUN AWAY (TO)	(tu ran euéi)	94
SCARPA	SHOE	(sciù)	29
SCARPE DA TENNIS	TENNIS SHOES	(ténisciùz)	29
SCATOLA	BOX	(boks)	21
SCENDERE	GET OFF (TO)	(tu ghètof)	51
SCENDERE	GET DOWN (TO)	(tu ghetdàun)	51
SCENDERE	GO DOWN (TO)	(tu gòu dàun)	52
SCHERZO	JOKE	(giòuk)	63
SCHIENA	BACK	(bèk)	20
SCI	SKIING	(skìin)	104/105
SCIARPA	SCARF	(skarf)	96
SCIMMIA	MONKEY	(mànki)	12/13
SCOIATTOLO	SQUIRREL	(skuìrel)	106
SCOPA	BROOM	(bruum)	22
SCRITTORE	WRITER	(ràitar)	86/87
SCRIVANIA	DESK	(desk)	36

151

Italiano	Inglese	Pronuncia	Pag.
SCRIVERE	WRITE (TO)	(tu ràit)	124
SCUOLA	SCHOOL	(skuul)	96
SCUSA!	SORRY!	(sòri)	102
SE	IF	(if)	61
SECCO	DRY	(drai)	39
SECONDO	SECOND	(sèkend)	80
SEDANO	CELERY	(sèleri)	117
SEDERE	BOTTOM	(bòtem)	20
SEDERSI	SIT DOWN (TO)	(tu sit dàun)	100
SEDIA	CHAIR	(cèar)	59
SEDILE ANTERIORE/	FRONT/	(frant/	
POSTERIORE	BACK SEAT	bèk siit)	25
SEGUIRE	FOLLOW (TO)	(tu fòlou)	47
SEI	SIX	(siks)	80
SELLINO	SEAT	(siit)	18
SEMAFORO	TRAFFIC LIGHT	(trèfic làit)	114
SEMPRE	ALWAYS	(òlueiz)	11
SENTIERO	TRAIL	(tréil)	114
SENTIRE	HEAR (TO)	(tu hìar)	56
SENZA	WITHOUT	(uidhàut)	123
SERA	EVENING	(ìvnin)	35
SERBATOIO	FUEL TANK	(fiùl tenk)	25
SERPENTE	SNAKE	(snéik)	101
SERRATURA	DOOR LOCK	(dorlok)	25
SESTO	SIXTH	(siksth)	80
SETE (AVERE)	THIRSTY (TO BE)	(tu bi thersti)	112
SETTE	SEVEN	(sèvn)	80
SETTEMBRE	SEPTEMBER	(septèmbar)	72
SETTIMANA	WEEK	(uìk)	121
SETTIMO	SEVENTH	(sèvnth)	80
SFERA	SPHERE	(sfir)	98
SHAMPOO	SHAMPOO	(scempùu)	97
SÌ	YES	(ìès)	125
SILENZIOSO	QUIET	(kuàiet)	90
SINISTRA	LEFT	(léft)	66
SLITTA	SLEIGH	(sléi)	100
SOFFIONE	DANDELION	(dèndilaion)	34
SOFFITTA	ATTIC	(ètik)	59
SOGGIORNO	LIVING ROOM	(lìvin rum)	59
SOGNO	DREAM	(driim)	39
SOLAMENTE	ONLY	(òunli)	82
SOLDATO	SOLDIER	(sòulgiar)	86/87
SOLDI	MONEY	(mani)	71
SOLE	SUN	(san)	108
SOLO	ALONE	(eloùn)	11

Italiano	Inglese	Pronuncia	Pag.
SOPRA	ABOVE	(ebàv)	7
SOPRABITO	OVERCOAT	(òuvekòut)	29
SORELLA	SISTER	(sìstar)	44
SORPRESA	SURPRISE	(sepràis)	108
SOTTO	BELOW	(bilòu)	17
SOTTO	UNDER	(ànder)	115
SOTTOMARINO	SUBMARINE	(sabmerìn)	107
SPAGNA	SPAIN	(spéin)	76/77
SPALLA	SHOULDER	(sciòuldar)	20
SPAZZATURA	GARBAGE	(gàrbidg)	50
SPAZZOLA	BRUSH	(brash)	22
SPAZZOLA	HAIRBRUSH	(hèabrash)	55
SPAZZOLINO	TOOTHBRUSH	(tùthbrash)	113
SPECCHIETTO LATERALE	SIDE MIRROR	(sàidmìror)	25
SPECCHIETTO RETROVISORE	REARVIEW MIRROR	(rieviùmìror)	25
SPECCHIO	MIRROR	(mìror)	71
SPEDIRE	SEND (TO)	(tu send)	97
SPENDERE	SPEND (TO)	(tu spend)	102
SPENTO	OFF	(of)	81
SPESSO	OFTEN	(òfen)	81
SPEZIE	SPICES	(spàisiz)	103
SPIAGGIA	BEACH	(biitch)	16
SPIEGARE	EXPLAIN (TO)	(tu ikspléin)	42
SPINGERE	PUSH (TO)	(tu push)	88
SPORCO	DIRTY	(derti)	38
SPORT	SPORTS	(sports)	104/105
SPOSTARE	MOVE (TO)	(tu muv)	73
SQUALO	SHARK	(sciàrk)	98
STAGIONI	SEASONS	(siznz)	97
STANCO	TIRED	(tàied)	112
STARNUTIRE	SNEEZE (TO)	(tu sniiz)	101
STATI UNITI D'AMERICA	U.S.A.	(ìuesséi)	76/77
STAZIONE	STATION	(stéiscen)	106
STELLA	STAR	(star)	106
STESSO	SAME	(séim)	95
STINCO	SHIN	(scin)	20
STIVALE	BOOT	(buut)	29
STOP	BRAKE LIGHT	(bréiklàit)	25
STRADA	ROAD	(ròud)	93
STRADA	STREET	(strìit)	107
STRETTO	NARROW	(nèrou)	75
STRISCE PEDONALI	ZEBRA CROSSING	(zìbrakròsin)	126
STRUMENTI MUSICALI	MUSICAL INSTRUMENTS	(miùzikl ìnstremnts)	74

153

Italiano	Inglese	Pronuncia	Pag.
TEATRO	THEATRE	(thìetar)	111
TELAIO	FRAME	(fréim)	18
TELEFAX	FAX	(feks)	110
TELEFONO	TELEPHONE	(tèlifoun)	110
TELEVISORE	TELEVISION SET	(tèlevisgion sèt)	110
TELEX	TELEX	(tèleks)	110
TEMPERATURA	TEMPERATURE	(tèmpricciar)	110
TEMPO	TIME	(tàim)	112
TEMPO	WEATHER	(uèdhar)	120
TENERE	HOLD (TO)	(tu hòuld)	58
TENNIS	TENNIS	(ténis)	104/105
TERGICRISTALLO	WIPER	(uàipar)	25
TERRA	EARTH	(erth)	40
TERRA	GROUND	(gràund)	54
TERZO	THIRD	(therd)	80
TESORO	TREASURE	(trègiar)	114
TESSERE	SPIN (TO)	(tu spin)	103
TESTA	HEAD	(hed)	20
TETTO	ROOF	(ruuf)	25, 59
TIGRE	TIGER	(tàigar)	12/13
TIMO	THYME	(tàim)	103
TIMONE	RUDDER	(ràdar)	10, 19
TIRARE	PULL (TO)	(tu pul)	88
TIRO CON L'ARCO	ARCHERY	(àrtcheri)	104/105
TOPO	MOUSE	(màus)	73
TORRE DI CONTROLLO	CONTROL TOWER	(kentròultàuar)	10
TORTA	CAKE	(kéik)	37
TOVAGLIA	TABLECLOTH	(téiblkloth)	109
TOVAGLIOLO	NAPKIN	(nèpkin)	75
TRA	BETWEEN	(bituìin)	17
TRAMONTO	SUNSET	(sànset)	35, 108
TRAPUNTA	QUILT	(kuìlt)	90
TRE	THREE	(thri)	80
TRENO	TRAIN	(tréin)	106
TRIANGOLO	TRIANGLE	(tràienghl)	98
TRISTE	SAD	(sèd)	95
TROMBA	TRUMPET	(tràmpit)	74
TROMBONE	TROMBONE	(trombòn)	74
TROVARE PER CASO	RUN ACROSS (TO)	(tu ran ekròs)	94
TUBO DI SCAPPAMENTO	EXHAUST PIPE	(èksastpàip)	25
TUFFARSI	DIVE (TO)	(tu dàiv)	38
TULIPANO	TULIP	(tiùlip)	47
TUTTO	ALL	(ol)	11

Italiano	Inglese	Pronuncia	Pag.

U

UCCELLO	BIRD	(berd)	12/13
UFFICIO	OFFICE	(òfis)	81
UGUALE	EQUAL	(ìkuel)	42
UN / UNO / UNA	A / AN	(é, èn)	7
UNGHIA	NAIL (TOE-/FINGER-)	(néil; tòu-/fìngar-)	75
UNIVERSITÀ	UNIVERSITY	(iùnivèrsiti)	115
UNO	ONE	(ùan)	80
UOMO	MAN	(mèn)	69
UOVO	EGG	(ég)	22
URAGANO	HURRICANE	(hàrikein)	60
USCIRE	GET OUT (TO)	(tu ghetàut)	51
USCIRE	GO OUT (TO)	(tu gòu àut)	52
USCITA	GATE	(ghéit)	9
USCITA	EXIT	(èksit)	42
UVA	GRAPES	(gréips)	49

V

VACANZA	HOLIDAY	(holidéi)	58
VACANZA	VACATION	(vekéiscen)	116
VALENTINO, SAN	VALENTINE'S DAY	(vèlentainsdéi)	116
VALIGIA	SUITCASE	(sùtkeis)	107
VALLE	VALLEY	(vèli)	116
VAMPIRO	VAMPIRE	(vèmpair)	116
VANO PORTAOGGETTI	GLOVE COMPARTMENT	(glav kàmparmen)	25
VANTAGGIO	ADVANTAGE	(èdvantidg)	8
VASETTO	JAR	(giàr)	63
VASO	VASE	(véiz)	116
VECCHIO	OLD	(òuld)	81
VEDERE	SEE (TO)	(tu sii)	97
VELA	SAIL	(séil)	95
VELA	SAILING	(séilin)	104/105
VELOCE	FAST	(fast)	45
VELOCE	QUICK	(kuìk)	90
VENDERE	SELL (TO)	(tu sel)	97
VENDITA BIGLIETTI	TICKET COUNTER	(tìkit kàuntr)	9
VENERDÌ	FRIDAY	(fràidi)	121

Italiano	Inglese	Pronuncia	Pag.
VENIRE	COME (TO)	(tu kam)	31
VENTO	WIND	(uìnd)	123
VERANDA	PORCH	(pòurtch)	59
VERDE	GREEN	(griin)	31
VERDURA	VEGETABLES	(vègitblz)	117
VESTITI	CLOTHES	(klòuz)	29
VESTITO	DRESS	(drés)	29
VETRO	GLASS	(glas)	52
VIAGGIARE	TRAVEL (TO)	(tu trevl)	114.
VICINO	NEAR	(nìar)	78
VINCERE	WIN (TO)	(tu uìn)	123
VINO	WINE	(uàin)	37
VIOLA	PURPLE	(pérpl)	31
VIOLA	VIOLET	(vàielet)	47
VIOLINO	VIOLIN	(vaielìn)	74
VISTA	VIEW	(viù)	118
VISTO	VISA	(vìsa)	118
VITA	WAIST	(uéist)	20, 119
VITTORIA	VICTORY	(vìktori)	118
VIVO	ALIVE	(elàiv)	11
VOCE	VOICE	(vòis)	118
VOLANTE	STEERING WHEEL	(stìerinuìl)	25
VOLARE	FLY (TO)	(tu flài)	47
VOLERE	WANT (TO)	(tu uònt)	119
VOLPE	FOX	(foks)	48
VOTARE	VOTE (TO)	(tu vòut)	118
VULCANO	VOLCANO	(volkéinou)	118
VUOTO	EMPTY	(èmpti)	41

XILOFONO	XYLOPHONE	(zàilefòun)	125

YOGURT	YOGURT	(ìoghert)	22

Italiano	Inglese	Pronuncia	Pag.

Italiano	Inglese	Pronuncia	Pag.
ZAINO	RUCKSACK	(ràksek)	94
ZANZARA	MOSQUITO	(moskìtou)	73
ZATTERA	RAFT	(raft)	91
ZEBRA	ZEBRA	(zìbra)	12/13
ZERO	ZERO	(zirou)	80, 126
ZIA	AUNT	(ant)	44
ZIGZAG	ZIGZAG	(zigzag)	126
ZIO	UNCLE	(ankl)	44
ZODIACO	ZODIAC	(zòudiek)	126
ZOO	ZOO	(zu)	126
ZUCCA	PUMPKIN	(pàmpkin)	117
ZUCCHERO	SUGAR	(sciùgar)	22
ZUCCHINA	ZUCCHINI	(zukìni)	117

PRONOMI PERSONALI	PERSONAL PRONOUNS	(pérsonal prònaunz)
SOGGETTO	*SUBJECT*	*(sàbgikt)*

IO	I	*(ài)*
TU	YOU	*(iù)*
EGLI/LUI	HE	*(hi)*
ELLA/LEI	SHE	*(sci)*
ESSO/A	IT	*(it)*
NOI	WE	*(ui)*
VOI	YOU	*(iù)*
ESSI/LORO	THEY	*(dhéi)*

AGGETTIVI POSSESSIVI	POSSESSIVE ADJECTIVES	*(pezèsiv ègiktivz)*

MIO	MY	*(mài)*
TUO	YOUR	*(iòr)*
SUO (di lui)	HIS	*(hiz)*
SUO (di lei)	HER	*(her)*
SUO (di esso)	ITS	*(its)*
NOSTRO	OUR	*(àuar)*
VOSTRO	YOUR	*(iòr)*
LORO	THEIR	*(dhèar)*

TO: in inglese i verbi all'infinito sono in genere preceduti dalla particella **TO**.
POTERE (CAN): il verbo **CAN** è un verbo particolare. Ad esempio, all'infinito non è preceduto dalla particella **TO**.

L'ALFABETO INGLESE   THE ENGLISH ALPHABET   *(dhi ìnglish èlfebet)*

Aa	*Aa*	APPLE	Oo	*Oo*	ORANGE
Bb	*Bb*	BANANA	Pp	*Pp*	PARROT
Cc	*Cc*	CAR	Qq	*Qq*	QUEEN
Dd	*Dd*	DOG	Rr	*Rr*	ROSE
Ee	*Ee*	ELEPHANT	Ss	*Ss*	SUN
Ff	*Ff*	FOX	Tt	*Tt*	TURTLE
Gg	*Gg*	GIRAFFE	Uu	*Uu*	UMBRELLA
Hh	*Hh*	HOTEL	Vv	*Vv*	VIOLIN
Ii	*Ii*	INK	Ww	*Ww*	WATCH
Jj	*Jj*	JAR	Xx	*Xx*	XILOPHONE
Kk	*Kk*	KOALA	Yy	*Yy*	YOGURT
Ll	*Ll*	LION	Zz	*Zz*	ZEBRA
Mm	*Mm*	MOTORBIKE			
Nn	*Nn*	NUT			

159